grand angle

Willi Fährmann

N'oublie pas, Christina...

Traduit de l'allemand
par Michel BEAUVALLET

éditions
g.p.
paris

Ce livre a été publié dans la langue originale
sous le titre :
KRISTINA, VERGISS NIGHT...
par Arena-Verlag Georg Popp à Würzburg

© 1974 - Arena-Verlag Georg Popp, Würzburg
© 1977 - Editions G.P., Paris
Printed in France
I S B N 2-261-00309-9

Ils vont encore t'envoyer promener, grand-mère !
dit Christina.

— Ils vont encore *refuser*.

Grand-mère veillait sévèrement à ce qu'on parlât
correctement. Elle n'aimait pas les expressions vul-
gaires. Avec soin, elle déplia les formulaires et les
posa sur la table. Elle avait déjà rempli plusieurs
pages de son écriture fine et soignée.

— Lis ceci, Christina, dit-elle, il ne doit y avoir
aucune faute.

La jeune fille vint s'asseoir sur le banc, derrière
la table. « Encore cette corvée ! » pensa-t-elle.

— Tu sais bien que tu ne fais aucune faute.

— Je suis vieille, Christina. Une langue étrangère
reste toujours étrangère.

— Une langue étrangère ! Il y a trente ans que tu
entends parler polonais, que tu lis le polonais, que tu
écris en polonais aux autorités et tu le parles toi-
même assez souvent.

— C'est quand même du polonais, s'entêta la
grand-mère.

— Pour moi, ce n'est pas une langue étrangère,
c'est ma langue.

— Ne dis pas de sottises, petite ; le premier mot

que tu as prononcé, il y a quinze ans, c'est *mama*, et ça, c'est de l'allemand !

— Et les voisins, l'école, mes amies ?

La grand-mère pinça les lèvres et se tut. Christina avait touché la corde sensible.

— Et Janec ? ajouta-t-elle.

— Je ne veux pas que tu l'appelles Janec. C'est parce que nous vivons dans ce pays que ce garçon s'est ainsi transformé. Dès que nous serons là-bas, Hans parlera un bon allemand.

Christina savait qu'il était inutile de relire les formulaires. Il y avait longtemps qu'elle en connaissait les questions et les réponses par cœur. Huit fois déjà, les demandes de sa grand-mère pour obtenir l'autorisation de quitter la Pologne avaient été refusées !

Toute l'enfance de Christina avait été bercée par ce leitmotiv répété mille fois : *dès que nous serons là-bas*. Tout était provisoire. Provisoirement, tu iras ici à l'école. Provisoirement, nous demanderons à Mme Jablonska si elle peut te donner des cours de flûte. Provisoirement, nous prendrons ce logement.

Ce logement ! Christina dormait avec sa grand-mère dans une petite chambre, à la minuscule fenêtre, et elles se lavaient, provisoirement, dans la cuisine, parce qu'une bouilloire d'eau chaude, posée sur l'énorme fourneau, apportait une note de luxe.

Le fauteuil de bois aux reflets rouges, entre la table et le fourneau, était la place favorite de grand-mère. Christina, elle, s'asseyait sur le banc, derrière la table de bois blanc. Elle aurait pu aussi baisser l'abattant du secrétaire en pin, mais grand-mère ne voyait pas cela d'un très bon œil, car c'était autrefois la place de grand-père. Dans la plupart des quatorze minuscules tiroirs, il y avait encore des rouages, des ressorts, des boulons, des verres et des boî-

8

tiers de montres. « Laisse-les pour le moment », disait la grand-mère, chaque fois qu'il en était question.

Le seul meuble qui détonnait vraiment était le piano, noir et solennel. Autrefois, lorsque la mère de Christina vivait encore à la maison, on en jouait parfois. « Nous le laisserons provisoirement là. »

Ce provisoire fatiguait ! Rien n'était définitif, rien n'était sûr.

Feuille par feuille, Christina relut les formulaires. Elle ne trouva aucune faute. Parfois sa grand-mère s'exprimait d'une façon surannée : *Voudriez-vous avoir la bonté*... Qui donc aujourd'hui écrivait encore ainsi ?

Christina vit que sa grand-mère ouvrait la porte donnant accès à la cave.

— Que fais-tu, grand-mère ? Janec ne t'a pas remonté du bois ?

— Si, Christina. Mais il faut que j'aille chercher quelque chose.

Grand-mère descendit lentement l'escalier aux marches abruptes. Wolf, le grand chien qui somnolait paresseusement sur sa couverture, se leva, s'étira et bâilla en montrant une denture puissante. Il tendit la tête vers l'ouverture de la cave et huma les odeurs qui en montaient. Ses oreilles pointues étaient dressées et, de ses yeux d'un jaune tirant sur le vert, il essayait de percer cette obscurité qui lui était peu familière. Il était presque aussi grand qu'un berger, mais plus large de poitrine, et sa tête était aplatie. Grand-mère disait qu'il portait bien son nom de Wolf (1). Il y avait indéniablement du sang de loup en lui.

Christina reposait la dernière feuille sur la table

---

(1) En allemand, *Wolf* signifie loup. *(N. d. T.)*

lorsque sa grand-mère remonta enfin. Elle tenait à la main un petit coffret de bois très plat que Christina voyait pour la première fois.

— Qu'est-ce que c'est ?

— Attends un peu ! dit la grand-mère.

L'humidité de la cave avait fait gonfler le bois et ce n'est qu'avec l'aide de Christina qu'elle put faire glisser le couvercle par à-coups.

Le coffret contenait de petits objets, enveloppés dans un tissu huileux. Avec précaution, la grand-mère en sortit de minuscules outils en métal et les posa sur la table : une loupe, un jeu de tournevis grands comme des allumettes, une petite vis micrométrique. Elle accorda plus d'attention au pied à coulisse qui se trouvait au fond du coffret.

— Que veux-tu faire avec ça ?

— Ça ? Ce sont les outils de ton grand-père.

— Je croyais pourtant que tout avait été perdu à la fin de la guerre ?

— C'est vrai. Notre maison a été bombardée. Si ton grand-père n'avait pas été aussi entêté, nous n'aurions jamais revu ce malheureux tas de ruines. Dès le début des hostilités, j'avais souhaité partir à l'ouest, mais il était têtu comme un bouc : il ne voulait quitter ni sa maison ni son atelier. Nous sommes restés jusqu'à ce que les soldats allemands nous obligent à partir. Mais il était déjà trop tard. Nous avons été rejoints, quelques heures après, par les troupes du front et nous avons été refoulés en arrière. Notre maison n'était plus qu'un tas de décombres ! Ton grand-père avait trouvé quelque part une pelle et une pioche et il commença à remuer les gravats. Par chance, il y découvrit ses outils. C'est ainsi qu'il put de nouveau réparer des montres, ce qui nous a permis de surmonter les premiers temps difficiles.

N'OUBLIE PAS, CHRISTINA...

Le regard de grand-mère était fixé sur le mur, au-delà du fourneau. Chaque fois qu'elle évoquait le passé, ses yeux gris s'agrandissaient et elle paraissait revivre ce qu'elle racontait. Si ses cheveux n'avaient pas été aussi blancs, on lui aurait donné une cinquantaine d'années. A ses sourcils noirs et épais, à ses lèvres minces et serrées, à ses gestes précis et agiles, on voyait bien que cette femme savait ce qu'elle voulait.

Mais aujourd'hui Christina n'avait aucune envie d'entendre les éternelles vieilles histoires. Basia avait promis de venir cet après-midi et Christina devait d'abord faire ses exercices de flûte. Elle interrompit sa grand-mère :

— Mais que veux-tu donc faire de tout cet attirail ?

— Ces outils, s'il te plaît, dit la grand-mère, sans répondre à la question de Christina.

Elle alla se laver les mains. Christina prit sa flûte, et Wolf se cacha aussitôt, car il n'appréciait pas la musique de Christina. Dès qu'elle prenait son pupitre, il se tassait dans le coin le plus reculé de la pièce, la tête entre les pattes, et il regardait la jeune fille d'un air triste et offensé !

La grand-mère sortit toutes les photos de l'enveloppe, les mesura une à une avec le pied à coulisse. Lorsque Christina termina ses exercices, une demi-heure plus tard, sa grand-mère était toujours occupée, à l'aide du vieux rasoir du grand-père, à enlever de minuscules excédents de la largeur d'un millimètre à chaque photo qui devait servir pour le passeport.

— Pourquoi fais-tu cela ? demanda Christina.

— Parce qu'ils ont refusé hier la demande des Donatka, sous prétexte que les photos n'avaient pas les dimensions réglementaires.

N'OUBLIE PAS, CHRISTINA...

Un sifflement strident retentit dans la rue ; Wolf dressa les oreilles et Christina se mit debout.

— Pourquoi ne veux-tu pas comprendre que c'est inutile ? Ils n'accepteront pas ta demande.

— Ils sont obligés d'accepter ! C'est notre droit.

— Aucun homme ne peut être forcé de faire quelque chose qu'il ne veut pas faire, lança Christina sur un ton d'oracle, et l'Etat moins qu'un autre !

De nouveau, un sifflement aigu. Wolf mit sa tête à la fenêtre et aboya trois ou quatre fois.

— Qu'a donc le chien ? demanda grand-mère ; il devient de plus en plus fou.

— C'est Basia qui siffle pour m'appeler, répondit Christina. Nous devons réviser ensemble nos cours de mathématiques.

— Une jeune fille ne devrait pas siffler ! déclara la grand-mère, bien contente pourtant que Christina travaille avec Basia, qui était un as en mathématiques.

» Emmène Wolf avec toi, Christina. Il n'est pas du tout sorti aujourd'hui.

— Ce n'est pas possible, grand-mère.

Christina était énervée ; il fallait toujours qu'elle remorque le molosse !

— Ce n'est pas possible, ce n'est pas possible..., grommela la vieille dame. Lorsque ton oncle est mort et que personne ne savait que faire du chien, alors...

— Oui, grand-mère, je sais. Mais je ne peux pas emmener Wolf chez Basia : troisième étage, deux pièces, tu le sais bien.

— Oui, oui, ça, je le sais. Mais qu'un chien doive prendre l'air chaque jour, ça, je le sais aussi.

Wolf était déjà près de la porte et jappait. Christina alla vers lui.

— Va à ta place, tu m'entends ?

N'OUBLIE PAS, CHRISTINA...

Le chien recula en baissant la tête et Christina s'éloigna en hâte.

— Tu aurais au moins pu dire au revoir ! cria la grand-mère derrière elle.

— Ah ! te voilà enfin ! lui dit Basia. Encore un peu et je partais sans toi.

— Es-tu donc tellement pressée de faire des maths ?

— Qui parle de faire des maths ? Aujourd'hui, nous allons à la Maison des Jeunes.

— Comment cela ? Demain, nous avons composition de maths. Je n'ai pas la moindre idée de la façon dont je m'en sortirai, si tu ne m'aides pas.

— Mais qui parle de ça ? Demain, c'est demain. Tu copieras.

— Je ne sais pas, Basia. Et si M. Kupinski nous attrape, alors, je suis faite !

— Il n'attrapera personne, et la semaine prochaine je t'expliquerai en détail ce que ce fainéant de professeur n'est pas capable de rendre compréhensible.

— Bon. Si tu savais comme je suis énervée à chaque fois ! Mon estomac se crispe et je me sens vraiment mal. Et pourquoi tout ça ? Parce que tu veux aller à cette assommante Maison des Jeunes.

— Voyons, écoute un peu. Tu ne connais pas le programme pour aujourd'hui ?

— Peut-être André va-t-il nous lire ses poèmes ? se moqua Christina.

— Laisse André tranquille, s'il te plaît ! Je trouve que ses poèmes sont beaux.

Basia avait eu le coup de foudre pour André. Christina devait convenir que les poèmes d'André lui plaisaient, mais elle était furieuse contre lui. Depuis que Basia avait découvert son André, elle n'avait presque plus de temps à consacrer à son amie.

— Ecoute, ma petite, demain il y a une balade prévue dans la forêt.

Christina dressa l'oreille.

— Dans la forêt ?

— Oui, le club de ping-pong reçoit des invités de la ville, qui veulent passer une soirée au bord du lac.

La préparation de la composition de mathématiques parut soudain beaucoup moins urgente à Christina.

— Et tu me promets de m'aider demain ?

— Mais bien sûr ! Léocardia attrapera une de ses crises subites à dix heures. M. Kupinski sera bien obligé de s'occuper d'elle et, pendant ce temps, ma *feuille d'urgence* sera entre tes mains.

— Et que demande Léocardia pour prix de ses services ?

— C'est déjà réglé. Je trouve qu'elle commence à avoir du toupet, mais elle a promis d'avoir une très belle crise si on lui donne dix cigarettes.

— Et dire qu'il faut en arriver là !

— Eh oui !

Elles quittèrent la grand-route. Après avoir marché deux cents mètres sur un chemin empierré, elles atteignirent la Maison des Jeunes, bâtiment jaune, de deux étages, dont le crépi commençait à s'écailler. Quelques jeunes gens étaient assis dans l'entrée. Christina découvrit son frère Janec et lui fit signe. Un garçon élancé vint à leur rencontre :

— Enfin, vous voilà !

— Bonjour, André, lui dit Basia.

— Alors, tout est prêt pour demain ?

— Presque.

Il tendit deux verres aux jeunes filles. Christina

14

regarda avec méfiance le liquide coloré qui les emplissait.

— En voilà une mixture ! fit-elle.

— Goûte et tu verras !

— C'est rudement bon ! C'est du cidre.

— Ma mère a ramassé une pleine corbeille de pommes, hier. Je vais en presser le jus et le vendrai à notre prochaine soirée.

— Capitaliste ! lui lança Basia.

André attira les jeunes filles dans un coin :

— Figurez-vous que j'ai déniché une voiture avec un cheval pour nous conduire demain au bord du lac.

— Ça, c'est bien ! Dix kilomètres à pied, même pour des sportifs comme vous, ça fait un beau chemin !

Et Basia se mit à rire. Elle aimait se chamailler avec André et ne ratait aucune occasion de le faire. Mais, ce soir, il paraissait soucieux :

— Laisse-moi tranquille, je suis contrarié — et il lui tendit une carte : le groupe pop se désistait.

— Incroyable ! dit-elle. Sans le groupe pop, qu'allez-vous faire ?

André haussa les épaules.

— J'ai trouvé une autre batterie, dit-il.

— Et Witold peut jouer d'une façon supportable.

— Et tu joues toi-même de la guitare.

— Oui, de la guitare et de la batterie.

— Vous n'avez qu'à faire marcher un transistor si vous n'avez rien d'autre, lança Christina.

Basia fit une moue de dédain :

— Un transistor ! tu es folle... Informations, discours du camarade X sur l'accroissement de la production du lait... Tellement de bruit que les canards eux-mêmes s'enfuient épouvantés sur le lac !

— De toute façon, pour toi, bruit ou musique, c'est exactement pareil ! dit Christina en riant.

— Ma petite, pour moi, la musique, c'est quand mon cœur se met à vibrer. C'est là-dedans que ça résonne.

Et Basia, qui s'était penchée sur Christina, se frappa la poitrine.

— J'accompagnerai ton André avec ma flûte, il jouera de la guitare et Witold de la batterie.

— Entendu, petit sœur ! lança Janec. Ça fait un orchestre, et je vous accompagnerai avec mon harmonica.

Basia en perdit la voix ; par contre, André était tout feu tout flamme.

— Je vais chercher ma guitare et je cours chez Witold. Je vous le ramène aussitôt, disons que nous commençons dans une heure.

— Impossible ! dit Christina.

— Tiens, tu as peur, ma petite ? ironisa Basia.

— Peur ?

Janec prit le parti de Christina :

— Tu crois qu'elle perdrait son courage devant vous, musiciens de rue ? Christina joue si bien qu'en l'entendant un ours se mettrait à danser !

— Et après ? Elle n'a peut-être pas peur, mais elle a quand même dit *impossible*.

— C'est à cause de la vieille, dit Janec d'un air pincé.

— Grand-mère croit que je révise le cours de maths avec toi, Basia. Si je retourne maintenant chercher ma flûte...

— Où se trouve la flûte, Christina ? demanda Janec.

— Dans l'étui, sur l'appui de la fenêtre.

— Je vais la chercher ; il y a déjà longtemps que je voulais rendre visite à la vieille.

N'OUBLIE PAS, CHRISTINA...

— Elle ne te donnera pas la flûte.

— Je ne lui dirai pas *Dzien dobry* mais Bonsoir ; elle sera ravie de voir que je suis devenu allemand.

— Eh bien, bonne chance !

Janec s'élança à travers la salle et Christina le suivit jusqu'à la porte. Elle atteignait à peine son menton. Il avait le teint clair, les cheveux blonds, il était large d'épaules. Elle, au contraire, était brune et menue, « mince comme un manche à balai », avait l'habitude de dire Basia.

— Sois gentil avec grand-mère, pria Christina.

Janec, déjà sur le chemin, grommela quelques mots ; Christina crut l'entendre marmonner *Stara baba* (vieille sorcière).

Quand il était devant la porte de sa grand-mère, Janec était toujours très décidé. Chaque fois, il savait exactement ce qu'il voulait lui dire : qu'elle était une vieille dame autoritaire, que c'était une manie, chez elle, que de vouloir passer à l'Ouest, qu'il parlerait polonais quand cela lui ferait plaisir et qu'il ne se laisserait plus mener par elle. Mais sous le regard de grand-mère il ne restait plus, de tout cela, qu'un pitoyable *Dzien dobry*. Et, le plus souvent, même cette provocation polonaise ratait son but, la grand-mère répondant simplement par un *Guten Tag* d'un accent irréprochable.

Janec poussa la porte d'entrée et Wolf l'accueillit chaleureusement et essaya de le lécher. Janec le caressa et s'élança avec lui dans l'escalier. Il frappa à la porte vernie où brillait une plaque de laiton finement gravée : *Bienmann*. La grand-mère avait allumé la lampe sur la table ; devant elle, il y avait les formulaires. Les lunettes de nickel sur son nez indiquaient qu'elle cherchait encore une possible erreur qui aurait pu lui échapper.

N'OUBLIE PAS, CHRISTINA...

— Bonsoir, grand-mère, dit Janec.

— Est-ce toi, Hans ?

Le garçon s'approcha d'elle.

— Assieds-toi, mon garçon. Encore heureux que tu aies retrouvé la maison.

Il s'assit en face d'elle sur le banc. Wolf posa sa tête sur les genoux de Janec en fermant les yeux à demi. Le jeune homme lui caressa l'échine.

— J'ai beaucoup de travail, grand-mère.

— C'est toi qui l'as voulu.

— Je ne m'en plains pas.

Elle repoussa les formulaires.

— Quel travail fais-tu, Hans ?

Il lui tendit la paume de ses mains ; du bout des doigts, elle tâta les callosités.

— Je n'aurais jamais cru qu'un électricien puisse avoir des mains aussi dures.

— J'ai bouché des trous dans des murs, grand-mère. Depuis quinze jours, je travaille avec un marteau et un burin.

— Bientôt ce sera fini, Hans !

Du plat de la main, elle frappa sur les formulaires.

— Cette fois, ils ne pourront pas dire non.

Janec ricana.

— Ils ont chassé les Donatka de l'Office, la semaine dernière. Sais-tu ce qui s'est passé ?

— Je sais, Hans, les photos étaient trop petites. Mais nos photos à nous ne sont pas trop petites. Elles sont justes, au millimètre près.

— Dans ce cas, ils trouveront autre chose, grand-mère. Ils ne peuvent pas laisser partir tous ceux qui veulent s'en aller. Donatka est tourneur, il ne sera pas si facile de le remplacer, et l'Etat paie l'éducation de Christina au lycée. Crois-tu qu'il la laissera partir ? Et que ferait le patron de maman sans sa secrétaire ? Que ferait M. Gronski si je ne réparais

N'OUBLIE PAS, CHRISTINA...

plus les voitures ? La production s'arrêterait, le Plan serait en retard. L'Etat ne peut pas permettre cela.

— Bravo pour ta harangue ! Moi, je rejoindrai mon fils. Nous sommes allemands, je veux rentrer en Allemagne, c'est notre droit.

— Ne nous disputons pas, grand-mère.

— As-tu faim, Hans ? demanda-t-elle après un silence. J'ai encore des petits pois.

— Non, grand-mère ! Je n'ai pas envie de manger.

— A ton âge, un jeune doit beaucoup manger.

— Une autre fois, grand-mère !

— Mercredi, nous porterons la demande en ville. Dis-le à ta mère, il faut qu'elle demande un congé.

— Entendu ! Comment viendrez-vous ?

— Eh bien, nous irons nous faire secouer dans l'autobus ! Encore heureux s'il arrive à temps !

— Nous avons notre chantier en ville. Voulez-vous venir avec nous ? Nous partons à sept heures.

— J'accepte volontiers, mais est-ce que cela plaira à M. Gronski ?

— Je le lui demanderai.

— Bien. Cela me convient. Mais tu n'es sûrement pas venu pour m'offrir la voiture.

— Non. Je voulais la flûte de Christina.

— La flûte ? Je croyais que Christina était avec Basia.

— Oui, bien sûr ! Mais elle s'est rappelé qu'elle doit jouer pour quelqu'un demain en orchestre.

— Et tu viens déjà chercher sa flûte ?

— Ce soir, ils veulent s'exercer à la Maison des Jeunes.

— Et que font-ils demain ?

— Demain, en fin d'après-midi, sortie au bord du lac. La Maison des Jeunes a des invités de la ville. Ils doivent faire de la musique.

— **Un concert ?**

— Oui, si tu veux.

— Tu sais où se trouve la flûte. Mais fais bien attention, car...

— Oui, grand-mère, je sais. Elle est fragile. C'est pourquoi tu as mis une housse par-dessus l'étui.

Elle le regarda sans comprendre.

— Et alors ?

— Eh bien, c'est comme porter des bretelles en plus d'une ceinture. C'est une double sécurité.

Elle se mit à rire.

Il se leva, attrapa la flûte et lui tendit la main. Il était déjà près de la porte lorsqu'elle l'appela :

— Attends, attends !

Il se retournait. Elle courut vers le secrétaire, baissa l'abattant et prit dans un tiroir une tablette de chocolat. Cela le remuait toujours. Elle ne le laissait jamais partir sans lui donner quelque chose. Mais il voulut cacher son émotion :

— Tu n'as vraiment pas de cigarettes, grand-mère ?

Elle comprit qu'il voulait la taquiner.

— Es-tu déjà un homme ? lui demanda-t-elle.

— Bien sûr. Hier, je me suis rasé pour la première fois.

Wolf bondissait autour de lui. Janec lui saisit la tête et lui lissa les moustaches.

— Grosse bête ! ma moustache n'est pas encore aussi longue que la tienne !

Il fit claquer la porte. Il avait habité pendant longtemps cette maison au faîte étroit, dans la vieille ville.

Ils l'avaient habitée seuls, si l'on faisait exception des Aleksandrowicz qui vivaient au sous-sol. Mais, il y a quatre ans, le père avait disparu. Ils n'avaient alors conservé que deux pièces dans la maison, ce qui, pendant des mois, avait été à l'origine d'innombrables disputes. Dans cet espace exigu, chacun devenait irascible. Enfin, le chef de Rosa, leur mère, lui avait trouvé un petit logement dans un lotissement neuf. Christina resta avec sa grand-mère. Janec partit avec sa mère.

Janec retourna d'un pas rapide à la Maison des Jeunes.

— Toi, enfin !

— Il faut trouver un nom à l'orchestre ! s'exclama Basia.

Ils proposèrent des noms ambitieux : Joseph voulait l'appeler « Nouvelle Révolution ». Pour des raisons obscures, Ludmilla était pour « Larmes aux yeux ». Mais, finalement, c'est la proposition de Janec qui s'imposa. Il avait choisi « Mama Classic Group ». Vers neuf heures, Christina insista pour s'en aller.

— Quand je pense à la composition de maths, j'en suis déjà malade !

— Quand on a confiance en Basia, on n'a peur de rien...

*
* *

Le jour suivant débuta, pour Christina, comme tous les autres. Sa grand-mère avait fait bouillir du lait. Le café, ce n'est pas sain. Elle lui avait coupé une pomme et enlevé les pépins ; les fruits sont très sains, surtout s'ils ne sont pas épluchés. Elle lui avait préparé deux tartines de beurre et de miel. Le miel est particulièrement sain.

— Es-tu prête pour ta composition de mathématiques ?

— Oui.

Pendant les cours de maths, Christina prenait constamment des notes, mais cela ne l'aidait guère.

Le diable aurait dû emporter M. Kupinski ! Peut-être, lui, comprenait-il quelque chose aux mathématiques ? C'était probable. Pour lui, tout était clair comme de l'eau de roche, transparent, sans problème, évident. Mais uniquement pour lui. Il ne s'était sans doute jamais demandé comment il pourrait expliquer les mathématiques à ses élèves. Et aucun n'y comprenait rien. Excepté Basia.

— Il y a du brouillard aujourd'hui, dit grand-mère.

« Comme dans ma tête, pensa Christina ; je ne comprends rien. Bon sang, pourquoi est-ce que je n'y arrive pas ? »

Elle en était encore à mâcher sa première tartine. Il lui semblait avoir une pierre sur l'estomac.

— Tu devrais prendre une écharpe.

« Quelle idée ! songea Christina, une écharpe en plein été ! » Mais ce n'était pas le moment d'affronter grand-mère.

— Si tu veux..., répondit-elle.

Grand-mère sortit de la cuisine. Christina en profita pour jeter à Wolf le reste de sa tartine, que le chien engloutit prestement. Pourvu que grand-mère ne remarque pas qu'il se léchait les babines ! Christina enveloppa vivement la deuxième tartine dans un morceau de papier et la fit disparaître dans sa serviette, au milieu de ses livres et de ses cahiers. Elle versa le restant du lait dans le pot.

— Prends celle-ci, dit grand-mère en lui tendant l'écharpe bleue qu'elle mettait d'habitude en hiver.

Heureusement que sa serviette était grande !

— As-tu assez d'encre dans ton stylo ?

— Oui.

— Tu as ta règle et ta boîte de compas ?

— Oui, grand-mère, j'ai tout ce qu'il faut.

— Applique-toi bien.

N'OUBLIE PAS, CHRISTINA...

— Bien sûr !
— Tu sais que tu ne travailles pas pour moi.
— Oui, oui, grand-mère, je sais.
Christina lui donna, comme d'habitude, un baiser rapide.
— *Ciao !* lança-t-elle.
— Laisse donc ces mots à la mode ! Au revoir.

A l'école, tout se passa comme d'habitude. La composition devait s'achever à dix heures et demie. Lorsque Léocardia se trouva mal, à dix heures juste, Christina n'avait encore fait aucun exercice. Heureusement, elle reçut le billet de Basia. Mais copier est tout un art et Christina n'y arrivait pas aussi bien que Clara. Celle-ci prenait d'abord un visage anxieux et méditatif, des gouttes de sueur perlaient à son front. Puis soudain sa figure s'illuminait, elle se frappait le front et commençait à écrire. Et voilà ! Le professeur avait pu suivre chaque phase de sa réflexion sur son visage. Enfin, M. Kupinski ramassa les copies.
— Allons fumer un peu, proposa Léocardia en entraînant Basia et Christina dans la cour vers les toilettes.
Les filles avaient trouvé un moyen simple et efficace pour fumer, malgré la défense formelle, sans se faire prendre. De la cour, on entrait d'abord dans les lavabos. De là, un couloir long et étroit menait aux toilettes. Lorsque la concierge faisait la chasse aux filles qui fumaient, elle était accueillie par un sonore « Bonjour, chère madame Warczack », que lui adressaient les élèves postées à l'entrée pour faire le guet. Ce signal d'alerte laissait à celles qui fumaient un laps de temps suffisant pour jeter le restant de leur cigarette dans la chasse d'eau avant l'arrivée de la concierge dans le couloir.

— Eh bien, c'était sérieux ton attaque ! se moqua Basia.

— Oh ! ce n'est pas très difficile.

— Dans ce cas, dix cigarettes, c'est bien payé.

Elles entrèrent dans les lavabos. Basia ouvrit la porte et tomba en plein dans les bras de Mme Warczack.

— Enfin j'en tiens une ! s'écria la concierge.

Basia s'enfuit en riant.

— Viens, toi, dit Mme Warczack en saisissant Christina par la manche. Viens, sinon elle va encore dire que ce n'est pas vrai.

— Chère madame Warczack, dit Léocardia en renvoyant la fumée de sa cigarette, vous devez bien comprendre...

— Je ne veux rien comprendre ! J'en ai assez de voir tous les jours de la cendre par terre.

— Après cette composition de mathématiques, je n'en pouvais plus ! Vous qui êtes instruite, chère madame Warczack, vous savez bien ce que c'est !

Christina se mordit les lèvres pour ne pas éclater de rire. Cette Léocardia, il n'y en avait pas deux comme elle ! Déjà, la concierge devenait plus conciliante. Voulant assurer son succès, Léocardia ajouta :

— J'ai encore eu une crise, il me fallait absolument quelque chose...

Mais ce rappel voilé à sa « maladie » provoqua l'effet contraire de celui qu'elle espérait.

— Encore une crise ? M. le Directeur a dit qu'il t'enverrait chez le docteur la prochaine fois.

Léocardia pâlit et resta muette. Christina tenta sa chance.

— Oh ! madame Warczack, pensez à tous les ennuis que cela va entraîner. Ce n'est pas ce que vous voulez, n'est-ce pas ? Et, d'abord, Léocardia ne fumera plus.

24

N'OUBLIE PAS, CHRISTINA...

Elle aurait peut-être réussi à attendrir Mme Warczack, lorsque, malheureusement, une voix se fit entendre dehors :

— Qu'y a-t-il, Halina ? Tu en as pris une ?

Contre M. Warczack, il n'y avait rien à faire.

— Allons, venez, les enfants, soupira la concierge.

— La sale bête ! chuchota Léocardia en s'abandonnant à son destin.

Dehors, toute la classe ricanait. Warczack avait apparemment calculé son coup, car dans les toilettes des garçons il avait surpris de la même façon Christian et Jerzy.

Bientôt, tout le monde se retrouva devant le directeur.

« C'est toujours le même théâtre, songea Christina. Il va encore reculer son siège, croiser les jambes et nous regarder de son air important. Et puis il va nous interroger... » Christina connaissait la méthode. Plus d'une fois déjà, elle avait comparu devant le directeur, le plus souvent en compagnie de Jeanne Donatka, la sœur de Stani. Mais il s'agissait alors de tout autre chose qu'une bagatelle à propos de cigarettes :

— Vos parents ont déposé une demande. Ils veulent quitter notre république. Dites-moi ce que vous en pensez !

Sur le même ton, le directeur demanda :

— Dites-moi ce qui s'est passé...

— Eh bien, commença Jerzy, je n'aurais jamais cru...

— Quoi donc ? Termine ta phrase !

— Qu'il pouvait se faire prendre ! lança Christian, et tout le monde se mit à rire — sauf M. le Directeur, bien entendu.

— Ne parlez que si je vous interroge, fit-il d'un ton sévère.

N'OUBLIE PAS, CHRISTINA...

Puis, se tournant vers Christina :

— Le professeur d'histoire assure qu'il vous a déjà vue en ville avec une cigarette.

— Ce n'est pas possible, je ne fume pas.

— Sauf dans les toilettes, dit le directeur, sarcastique.

— Non.

— Eh bien, Warczack, qu'en dites-vous ?

— C'est interdit pour les hommes, monsieur le Directeur.

— Qu'est-ce qui est interdit ?

— Mais d'aller dans les toilettes des femmes.

— Vous n'avez donc pas surpris les filles en train de fumer ?

— Non, parce que les toilettes des femmes sont interdites aux hommes.

— Bon, mais pourquoi alors avez-vous amené ces filles ?

— C'est ma femme, Halina, monsieur le Directeur. C'est elle qui a surpris les filles ; en flagrant délit, pour ainsi dire.

— Il n'y en avait qu'une, monsieur le Directeur. C'est Léocardia que j'ai surprise.

— Et que fait ici Christina ? (Le directeur était décontenancé.)

— Elle est là comme témoin, monsieur le Directeur.

— Qu'avez-vous vu, Christina ?

— Mais rien du tout, monsieur le Directeur.

Des explications embrouillées suivirent. Tous parlaient à la fois.

Accablé, le directeur se laissa finalement retomber dans son fauteuil :

— Vous savez, fumer, ce n'est pas bon pour la santé.

26

N'OUBLIE PAS, CHRISTINA...

— Et ça pollue l'environnement, compléta Christian.

— Et même le plancher !

Mme Warczack élevait la voix, mais le directeur lui coupa la parole d'un geste coléreux.

— Je voulais dire... à cause de la cendre, bredouilla-t-elle.

— Il est défendu de fumer, c'est clair ?

— Oui, monsieur le Directeur.

— Et vos cheveux, Christian, sont de nouveau trop longs. Vous irez chez le coiffeur.

— Oui, monsieur le Directeur, marmonna Christian.

Quand ils passèrent dans l'antichambre, la secrétaire releva la tête avec surprise en l'entendant maugréer :

— Merde alors, on se fait traiter comme des gosses !

*
* *

Le lac reflétait le ciel clair de l'été. Les pins aux troncs tordus jaune et rouge se miraient dans l'eau limpide. Un aigle pêcheur traçait de larges cercles dans l'air calme.

Sur la rive ouest, à l'endroit où s'étendait le banc de sable, deux voitures s'arrêtèrent. Des jeunes gens sautèrent à bas des plateaux à ridelles, dételèrent les chevaux et les mirent à paître à la lisière de la forêt.

— Est-ce que je peux t'aider, Witold ? demanda André au batteur, qui commençait à monter son instrument.

— Je ne permets à personne de toucher à ma batterie ! Occupe-toi plutôt d'accorder ta guitare.

Christina souffla le *la* à plusieurs reprises. Witold

tendit la peau de tambour. André pinçait les cordes et tournait les tendeurs de sa guitare.

— Janec, cesse donc de jouer de l'harmonica. Impossible d'accorder une guitare dans un bruit pareil !

Les autres coururent d'abord à la rive du lac. Clara déballa sa corbeille de pique-nique richement garnie. Christian s'était agenouillé sur le sable, près de la rivière, et essayait d'allumer un feu. Quelques-uns allèrent chercher de petites branches et des pommes de pin bien sèches et largement ouvertes, car il y avait des semaines qu'il n'avait pas plu.

Basia partit à l'écart. Avec la démarche silencieuse d'un chat, la jeune fille petite et ronde s'approcha d'un endroit couvert de roseaux et observa l'eau, peu profonde à cet endroit. Pendant plusieurs minutes, elle demeura sans bouger et parut se fondre dans le paysage. Sous les feuilles rondes des roses aquatiques apparurent des brèmes, paresseuses et grasses. De temps à autre, leur nageoire dorsale fendait la surface de l'eau. Basia aurait volontiers contemplé plus longtemps le manège des poissons. Mais déjà lui parvenait le son des premières mesures, entraînantes et pleines de joie.

— Que contemples-tu ? lui cria Stani Donatka.

Elle posa un doigt sur ses lèvres.

— Tu attends le porteur d'eau ?

Il s'approcha bruyamment. Bft ! les brèmes avaient disparu.

— Tu as pourtant déjà pêché ton André. Pourquoi te faut-il encore un porteur d'eau ?

— Que tu es bête ! Tu as chassé les poissons avec tout ton vacarme.

— C'est des poissons que tu voulais voir ? Va en ville, chez le poissonnier, tu verras des truites et des carpes !

N'OUBLIE PAS, CHRISTINA...

— Quel imbécile !

Elle quitta le bord du lac sans plus s'occuper de Stani.

Autour des voitures, les garçons faisaient tournoyer les filles en cercles étroits, se retournaient, se courbaient, se redressaient. Tous suivaient avec enthousiasme le rythme de la musique qui, tantôt en *rock* endiablé, tantôt en *blues* mélancoliques, faisait résonner la clairière et entraînait garçons et filles dans une danse sans fin.

La flûte s'était vite intégrée à l'orchestre. André fit à Christina un signe de tête approbateur. Finalement la jeune fille s'avança et essaya son premier solo. Les notes glissèrent progressivement d'un *rock* rapide et aigu au rythme plus lent d'un *spiritual*. Quelques-uns fredonnèrent avec elle. A la fin, le groupe se pressa autour de la voiture en entonna la chanson *Sweet Chariot*.

Christina se recula près d'André. Witold couvrit les applaudissements par un roulement sonore. La plupart remarquaient maintenant combien l'été tardif était encore chaud. Ils allèrent se rafraîchir bras et visage au bord du lac et revinrent s'allonger près du pique-nique de Clara. On mangea et on but ; le cidre d'André était bon et il ne fallut pas bien longtemps pour vider les bouteilles. Les invités de la ville parlaient haut et fort. Ils ne plaisaient guère à Christina, ces jeunes gens de la ville.

— Où les avez-vous ramassés ? demanda-t-elle à André.

— C'est Stani qui les a amenés. Il connaissait autrefois leur équipe de ping-pong.

La famille Donatka avait quitté la grand-ville deux ans auparavant.

— Ils savent jouer, tu peux me croire, dit André, prenant la défense des invités. Ils renvoient la balle incroyablement vite, tu ne vois qu'un trait blanc. Coup droit, revers, et quel brio !

— Ils en font toute une histoire. Il n'y a vraiment pas de quoi !

Christina regarda la bouteille de schnaps qui passait de bouche en bouche.

— J'ai envie de marcher un peu..., dit-elle.

Basia, qui les épiait, s'écria :

— Bonne idée ! Faisons le tour du lac.

— Quelle idée ! protesta celui qui avait la bouteille de schnaps. Ça ne va pas, non ?

— Tu n'as pas besoin de venir, répondit Basia.

Elle se leva et commença à marcher. Christina fit signe à Janec. Celui-ci s'étira de mauvaise grâce ; il se leva quand même et partit avec elles. André avait déjà suivi Basia. Jeanne s'apprêtait à les rejoindre quand Stani la saisit par le bras.

— Est-ce que mes amis de la ville ne te plaisent pas non plus ? Serais-tu si délicate ?

Et il la força à se rasseoir.

— Laisse-moi, espèce de rustaud ! cria-t-elle, mais elle resta assise.

Christina était furieuse contre Stani, le jeune homme de la ville la déconcertait ; sa brutalité lui répugnait et l'attirait en même temps.

Le groupe partit sous la conduite de Basia. Un chemin étroit serpentait à quelques mètres du rivage. La longue période de sécheresse avait fait baisser le niveau de l'eau. A l'endroit où les roseaux bordaient le lac, le chemin boueux s'écartait du rivage pour rejoindre la clairière. Pendant un moment, les jeunes gens marchèrent rapidement en silence.

— Combien de temps faut-il pour faire le tour du lac ? demanda André.

— Pas plus d'une heure si nous continuons à filer aussi vite, répondit Basia. (Elle ralentit le pas.)

30

N'OUBLIE PAS, CHRISTINA...

Comme ceci, il nous faudra une heure et demie, dit-elle en riant.

— Deux heures, s'il te plaît ! lança Janec, et il fit semblant de s'essuyer la sueur du front d'un revers de main.

— Saviez-vous que Janec a failli devenir gitan ? demanda Christina.

— Est-ce qu'il ne l'est pas un peu ? le taquina Basia.

— Pas du tout, fit Janec. Christina parle sérieusement. Ça s'est passé ainsi. Je pouvais avoir quatre ans. A cette époque, mon père vivait encore avec nous. Il m'avait conduit chez mon oncle Konrad. Aujourd'hui, je sais que tous deux discutaient déjà, à l'époque, de la façon dont ils pourraient passer à l'Ouest.

» Nous sommes restés deux semaines chez mon oncle. C'était la fin de l'été et tante Rosa m'avait installé à l'ombre d'un châtaignier après le repas de midi. Je m'étais endormi. Quand je me réveillai, au bout d'un long moment, j'étais seul dans la cour, la maison était calme. Les chevaux n'étaient plus à l'écurie et la place de la voiture était vide dans la remise. Ils étaient partis sur les champs de pommes de terre. Sans moi !

» Furieux, je courus à travers la cour ; j'attrapai une pierre que je jetai sur les cochons qui tournaient en rond dans leur étable en bois, en grognant bruyamment et en agitant leurs grandes oreilles. J'eus alors l'idée d'un jeu plus drôle. Je décidai d'ouvrir la porte de la porcherie. Les cochons hési-tèrent d'abord puis, voyant la prairie devant eux, sortirent en troupe vers les bois.

» Ma colère tomba peu à peu. Je compris que je venais de faire des bêtises et cela pouvait avoir des suites fâcheuses pour moi. Je m'approchai pensivement de l'abreuvoir en ciment, au milieu de la cour. Il était rempli à ras bord, car oncle Konrad avait mis la pompe en marche le matin. Alarick, le jars, s'y trouvait. Je le taquinai un peu, sans oser m'approcher, car je redoutais ses coups de bec et les cris qu'il poussait dès qu'il me voyait près de lui. Je n'entendais plus du tout les cochons. Je montai sur un des poteaux de la palissade pour essayer de les voir et aperçus leur dos d'un rose sale dans le champ de betteraves près de la forêt.

» Il faut absolument que je fasse quelque chose ! Les voisins ! Vite ! il fallait que je prévienne les Klimasweski. Je courus jusqu'à leur petite maison de bois, mais les Klimasweski étaient dans les champs de pommes de terre, tout comme les Zatryb et les Kowalczyk. Le village semblait abandonné sous l'éclatant soleil de l'après-midi.

» Il fallait que j'aille rejoindre oncle Konrad dans les champs, quelque part derrière le bois. Je courus, courus, mais fus bientôt hors d'haleine. Finalement, un point de côté lancinant m'obligea à ralentir. Aux pins, droits comme des cierges, avaient succédé des châtaigniers aux troncs tourmentés, qui bordaient le chemin de chaque côté comme un mur vert. Je songeais à faire demi-tour, lorsque les arbres s'espacèrent pour former une clairière. Trois cigognes s'y trouvaient, que je voulus voir de plus près. Je quittai l'étroit chemin et je m'approchai prudemment des cigognes. Apparemment, celles-ci ne se sentirent pas menacées par un aussi petit gamin. Elles s'envolèrent cependant, dès qu'elles me virent trop près d'elles, et se posèrent cinquante mètres plus loin. Je ne sais pas combien de temps et jusqu'où je les ai suivies, mais le soleil était déjà bas lorsqu'elles s'envolèrent pour de bon.

» Je regardai alors autour de moi : aucun chemin

en vue ! Devant, il y avait le grand lac, sur chaque rive des groupes d'arbres, de hautes herbes parsemées de fleurs. Je me mis à courir dans la direction opposée au rivage, droit devant moi, sans prendre garde au point de côté qui devenait de plus en plus fort. Mais, bientôt, je trouvai un autre lac devant moi. J'avais couru en rond ! C'était clair, je m'étais perdu.

» — Maudites cigognes ! hurlai-je, mais il y avait plus de terreur que de colère dans ma voix.

» J'appelai de toutes mes forces : « Hello ! hello ! » Les arbres me renvoyèrent un faible écho. Je me remis à courir, sans réfléchir ; des larmes me montèrent aux yeux. Je pleurai tout haut. Finalement, je me laissai tomber, épuisé, dans l'herbe.

» C'est alors que j'entendis à travers mes sanglots un piétinement de sabots de chevaux ! Je me levai et vis des hommes montés sur des chevaux tachetés de blanc et de brun. Je me mis à crier et ils arrêtèrent leurs chevaux. Des chevaux pie ! Une nouvelle terreur me saisit : des gitans ! Seuls les gitans avaient des chevaux pie ! Un flot d'images horrifiantes m'envahit : mangeurs d'enfants, voleurs, pillards. Fermer les portes ! Les poules à la basse-cour !

» Des gitans ! J'aurais voulu que la terre s'entrouvre pour me cacher. Au lieu de cela, un cavalier se détacha du groupe, galopa jusqu'à moi et, se penchant jusqu'à terre, me souleva pour me placer sur son cheval, devant lui. Un visage farouche, une longue moustache, des yeux brillants fixés sur moi. Figé par la terreur, j'en oubliai de me défendre. A moitié étourdi, je parcourus sur le cheval une certaine distance. Ils s'arrêtèrent enfin dans une clairière, près de trois voitures attelées. Ils m'assirent dans l'herbe et une femme assez âgée vint à côté de moi. Il y avait un feu à proximité. Je me mis à gémir, car je voyais déjà l'épieu sur lequel ils allaient me faire rôtir !

» — Tu t'es enfui ? me dit la femme.

» Elle avait une voix chaude. De la tête, je fis signe que oui.

» — Celui-là, là-bas, te conduira tout à l'heure au village, fit-elle en désignant l'homme qui m'avait porté sur son cheval.

» Il me fallut un moment pour comprendre ce qu'elle venait de dire.

» — Au village ?

» Je mis mes bras autour du cou de la vieille femme et je posai ma tête sur sa poitrine.

» — Allons, allons, dit-elle doucement tout en me caressant le dos. Tout ce qu'ils ont dû te raconter sur nous, ces idiots !

» La voix était voilée de tristesse.

» Petit à petit, je me calmai. Quand enfin l'homme remonta à cheval et me fit signe de venir, je tendis la main à la femme. L'homme chevauchait sans parler. Il ne fallut pas longtemps pour atteindre l'orée du bois. Dans la lumière du soir, le village était devant nous. Mais la rue du village n'était pas vide. Les gens étaient en groupe, parlant avec animation. Ils ne remarquèrent le gitan que lorsque son cheval s'arrêta au milieux d'eux.

» — Hans ! Hans ! cria mon père en me soulevant du cheval pour me prendre dans ses bras.

» Pendant un moment, personne ne fit attention au cavalier. Il fit tourner son cheval.

» — Attendez, l'ami, lui dit tante Rosa, et elle lui tendit du lard et un saucisson à l'ail enveloppé dans un sac de toile.

» L'homme se mit à rire et ses dents brillèrent sous sa moustache noire. Il leva la main et partit.

N'OUBLIE PAS, CHRISTINA...

» Il y avait longtemps que les porcs étaient de nouveau dans la porcherie. Il ne vint à l'idée de personne que j'avais eu la force de soulever les lourdes barres de fer, et je me tus sagement. Cependant, je n'échappai pas tout à fait à la punition. Oncle Konrad me conduisit au réservoir d'eau. Alarick gisait sur la cour, exténué, les ailes déployées.

» — Est-il mort ? demandai-je.

» Le jars releva alors légèrement la tête et ouvrit son bec rose. Il était trop épuisé pour faire entendre le moindre bruit.

» — Il s'est débattu dans le réservoir, presque jusqu'à s'en tuer ! Il ne pouvait plus en sortir. Pourquoi l'as-tu jeté dedans ?

» — Moi ? demandai-je, étonné.

» L'oncle ajouta aussitôt :

» — Demain, tu viendras avec nous dans les champs et tu ramasseras trois corbeilles de pommes de terre. Sinon...

» — Mais bien sûr, oncle, fis-je, rayonnant.

*
* *

— Janec le gitan, dit Basia.

Et André ajouta :

— Maintenant, je comprends pourquoi tu aimes l'harmonica. Les gitans en jouent souvent.

Ils atteignirent un ruisseau étroit et peu profond. Sans bruit, Basia dépassa les autres et leur fit signe.

— Des poissons !

Elle se mit à plat ventre, la tête sur l'eau.

— Est-ce que j'en attrape quelques-uns ?

— Ne te vante pas, lui répondit André.

Avec précaution, elle plongea sa main dans l'eau limpide et la referma sur sa proie ; sans hâte, elle ramena une carpe qui pesait bien une demi-livre.

D'un léger mouvement de bras, elle la rejeta derrière elle.

Tous voulurent voir comment Basia s'y prenait ; ils s'allongèrent dans l'herbe et fixèrent l'eau. Christina s'était courbée sur le ruisseau à côté de Basia. L'eau était claire. Quand ses yeux se furent accoutumés à l'obscurité de l'eau, elle vit les carpes dans le courant, nageant entre les herbes. Il pouvait y en avoir six, huit peut-être. Calmement, Basia prit un second poisson, puis un troisième. Ils frétillaient sur l'herbe. Basia courba habilement leur corps et leur brisa la nuque.

— As-tu un couteau, André ?

— Tiens.

Il ouvrit son canif et le lui tendit.

— Allume un feu, nous allons manger du poisson.

Bientôt, un fumet délicat les mettait en appétit. Ils se régalèrent.

— Partons, maintenant, dit Janec, il faut nous dépêcher ! Il y a longtemps que les autres doivent réclamer de la musique.

Ils reprirent leur marche, rapidement, en silence. André avait pris le bras de Basia et passé le sien autour de sa taille, ce que Basia accepta sans déplaisir...

L'obscurité tomba et une fine vapeur blanche se leva sur le lac. Quand ils atteignirent la clairière, il y régnait un silence étonnant. Au bord de l'eau, le feu rougeoyait encore, mais on ne voyait personne.

— Partis ! s'écria André. Ils sont partis sans nous.

La guitare qu'il avait suspendue à une branche heurtait le tronc de l'arbre au gré du vent.

— Ma flûte ! s'écria Christina en devenant moite.

Sa grand-mère avait sauvé le vieil instrument, l'avait transporté malgré la guerre et l'exode, comme un trésor de famille. Et elle la laissait traîner sans précaution à côté de la voiture !

— J'ai ta flûte, Christina.

Puis ils aperçurent Jeanne, près du feu, petite forme étroite qui se découpait dans l'ombre du soir.

— Ils sont partis, dit-elle. Ils étaient furieux contre vous ! Vous êtes restés absents si longtemps ! Stani a voulu se venger. Moi, je suis restée pour vous attendre.

Ils s'approchèrent d'elle. A la lueur du feu, Christina vit qu'elle avait pleuré. Son maquillage était effacé, mais avait laissé des traces noires sur son visage.

— Ce Stani ! dit Janec avec colère.

— C'est mon frère, répondit Jeanne.

— Quand je pense que nous en avons pour deux heures à rentrer à la maison ! J'ai pitié de moi ! gémit André. Il ne reste rien du pique-nique.

— Ils ont tout emporté, dit Jeanne.

Et les larmes se remirent à couler sur ses joues.

La lune glissait son disque orangé par-dessus les bancs de brume lorsqu'ils se mirent en route. Ils marchèrent longtemps, atteignirent enfin la limite de la forêt. La nuit était claire et la vue portait loin sur les champs et les prés. Il y avait une ferme dont une fenêtre était éclairée.

— J'ai soif, dit André. Je vais demander un verre d'eau.

Ils entrèrent dans la cour de la ferme, un chien aboya et tira sur sa chaîne.

— Quel désordre ! s'étonna Janec en voyant la cour.

Des outils traînaient par terre, la porte de la grange n'était pas fermée.

— Ne te gêne pas, dis que c'est bien la Pologne, ça ! lança Basia d'un ton acerbe.

— Oh ! là, là ! ne sois pas si féroce ! Tu sais bien que nous sommes chez nous dans ce pays.

— Vos parents ne sont sûrement pas de cet avis.

— Hélas ! tu as raison.

Christina frappa à la porte.

— Qui est là ? demanda une voix d'homme à l'intérieur.

— Un groupe de garçons et de filles. Nous avons soif.

— Des jeunes ? Entrez donc !

La porte n'était pas fermée. Un homme assez âgé était assis dans un fauteuil d'osier. Une barbe blanche de plusieurs jours dévorait son visage ridé. De ses yeux brillants, il fixait ses hôtes tardifs avec curiosité.

— Il y a du café sur le feu, dans la cafetière. Les tasses sont là-bas, sur la table. Il faudra que vous les laviez. Depuis que mon Elzbieta est morte, je lave seulement quand ça en vaut la peine. Il ricana : Vengeance tardive ! Pendant vingt-cinq ans, elle m'a embêté : « Marek, cire tes souliers ; Marek, ne renifle pas, prends ton mouchoir ; Marek, il faut que tu répares le toit ; Marek, tu n'as pas brossé ton chapeau du dimanche. » (Il prit un chapeau plus sombre taché de graisse et le mit en pleine lumière.) Maintenant, je le porte même à l'écurie.

Il ricana de nouveau : « Tardive vengeance. » Puis son esprit revint à ses invités.

— Il y a du sucre dans la boîte, sur la planche. Il y a du lait dans le pot sur le feu.

Ils se servirent.

— Asseyez-vous donc, il y a longtemps que je n'ai pas eu de visite.

Ils acceptèrent avec reconnaissance et s'assirent autour de la table. Basia et André approchèrent le banc.

N'OUBLIE PAS, CHRISTINA...

— C'est bien, approuva le vieux. Une table avec du monde autour, c'est bien.

D'un fagot de bois il sortit une mince branche, qu'il enflamma dans le foyer, puis il essaya de rallumer sa pipe éteinte.

— Puis-je vous offrir une cigarette ? demanda Janec.

— Du poisson ! grogna le vieil homme avec mépris, et il souffla un nuage de fumée blanc qui le dissimula presque.

» D'où venez-vous ? demanda-t-il.

Janec lui raconta leur excursion. Le vieux se mit à rire.

— Je ne savais pas qu'en ville on aimait tellement marcher.

— Je ne suis pas du tout fatigué, se vanta Janec.

Mais il avait pourtant retiré ses souliers sous la table !

— Vous avez fait de la musique au bord du lac ?

Il montra la guitare d'André.

— Oui.

— Jouez-moi quelque chose, demanda-t-il.

Sans joie, André effleura les cordes. Janec, lui, sortit son harmonica de sa poche et se mit à jouer. Le vieil homme lui plaisait. A son tour, Christina prit la flûte dans l'étui et la monta. Elle était assise tout près du vieillard. De ses doigts, celui-ci caressa le bois noir, les clés d'argent et les anneaux.

— C'est un instrument ancien, dit-il, une belle flûte.

— Vous vous y connaissez donc ? demanda Janec, surpris.

— Mon père possédait une flûte semblable. Quand il jouait à une noce, même les oiseaux se taisaient pour l'écouter. Quand les gens se disputaient et qu'il y avait de la bagarre dans l'air, il suffisait que mon père sorte sa flûte et se mette à jouer. En l'écoutant, les plus mauvaises têtes oubliaient leur colère.

Christina s'étonna de l'entendre parler ainsi, lui qui se donnait des airs bourrus.

— Jouez-moi un vieil air, jeunes gens, jouez-moi de vieux airs.

Janec commença et les autres le suivirent. Jeanne chantait de son soprano très clair, presque enfantin, l'alto de Basia et le baryton d'André l'accompagnèrent et le vieil homme bourdonna une basse. Il se balançait dans son fauteuil et son visage rayonnait de joie.

— Attendez, mes amis, attendez un peu. (Il se leva avec précaution de son fauteuil.) Ah ! mon dos, gémit-il en se pressant les reins.

Il jeta une brassée de bois dans le feu. Puis il souleva une trappe en bois dans le plancher qui donnait sur l'escalier de la cave. Il descendit les marches avec précaution et revint peu après avec deux bouteilles couvertes de poussière. Il les exposa à la lumière.

— Ceci — il montra une bouteille aux reflets rougeâtres — ceci est tout à fait spécial. C'est mon Elzbieta qui l'a fait, et elle s'y connaissait en cuisine ! C'est une liqueur de groseille. Sa liqueur était célèbre dans toute notre parenté. J'ai sauvé ces deux flacons, quand ses frères et sœurs voulaient tout prendre après l'enterrement. (Il chercha un tire-bouchon.) Dans l'autre bouteille, c'est du schnaps. Je l'ai distillé moi-même cet été.

— N'est-ce pas dangereux ? s'inquiéta Christina.

En réalité, elle voulait savoir si la distillation clandestine n'était pas sévèrement interdite.

— N'ayez pas peur, mademoiselle. L'eau-de-vie de Marek n'a jamais tué personne. Je me suis suffisamment exercé sur des travaux semblables au labora-

40

toire de la clinique. Autrefois, j'ai souvent joué avec mon père. Nous formions un orchestre recherché, mon père, mes frères et moi.

— Et qu'êtes-vous devenus ? demanda Janec.

— Depuis 1941, je n'ai plus sorti mon violon de son étui, dit-il en regardant fixement devant lui d'un air assombri.

Puis il prit un gobelet et ordonna :

— Buvez, mes enfants, buvez !

— Votre liqueur a vraiment un goût merveilleux, dit Basia.

— Pas vrai ? se réjouit le vieil homme. Seulement il faudrait la boire dans un verre.

Il soupira et se leva pour aller dans la pièce contiguë. Il en revint avec un verre biseauté et un étui à violon.

— Voici un verre qui convient pour la liqueur d'Elzbieta, dit-il en versant le reste de la tasse de Christina dans le verre et en le regardant à la lumière.

Le vin avait des reflets rosés.

Le vieil homme ouvrit l'étui de son violon et en sortit avec précaution un violon, dont il tourna les chevilles d'un geste sûr. Christina souffla le *la*. Il la regarda avec reconnaissance. En quelques instants il avait accordé les cordes et tendu l'archet. Il posa l'instrument sous son menton. Les premières notes sortirent, d'abord tremblantes, puis claires et sûres. C'était le chant de la jeune fille qui jette dans le ruisseau l'anneau donné par son fiancé. Christina le connaissait bien, car son grand-père l'avait souvent fredonné, quand il se plaçait devant son miroir pour se savonner la barbe, le dimanche. Elle accompagna le chant avec sa flûte, Janec joua de son harmonica et André donna quelques accords.

Quand le vieux laissa retomber son violon, il resta

un moment silencieux, la tête penchée sur la poitrine.

— Il y a vraiment plus de trente ans que vous n'aviez pas joué ? demanda André. On croirait que vous vous exerciez hier encore.

— Pourquoi êtes-vous resté si longtemps sans jouer ? demanda Basia.

Il les regarda longuement, hésitant à raconter son histoire à des inconnus. Enfin, il se décida.

— 1941, commença-t-il, fut une mauvaise année pour nous. Il n'y avait pas d'Allemands ici, dans la lande, dans ce village. Mais ils venaient assez souvent pour capturer les partisans qui avaient leur repaire de l'autre côté, dans la forêt, et qui, de temps à autre, faisaient sauter une locomotive à Czersk ou détruisaient la voie ferrée. Nous les connaissions tous, ces hommes de la forêt. Lorsque le soir tombait, il en venait souvent deux au village, sur leur vélo. Ma mère tenait une épicerie, quoiqu'il n'y eût pas grand-chose à vendre. Ils ne voulaient d'ailleurs rien d'autre qu'une bouteille de cette bière qu'on brassait à l'époque. Ils s'asseyaient sur des caisses et se faisaient raconter ce que faisaient les Allemands. Ils lancèrent des imprécations en apprenant que tout le monde se laissait germaniser et qu'il suffisait de trois croix comme signature pour transformer un nom polonais comme Ryszard Przybylski en un mauvais allemand Richard Prybill. Il y avait en particulier un jeune homme de vingt ans qui entrait dans une terrible colère chaque fois qu'il entendait ce que faisaient les Boches. Il brandissait sauvagement sa carabine et jurait si fort que même les vieux en perdaient le souffle. Un soir d'été, alors que l'air était lourd et orageux, ce jeune homme était assis avec un partisan plus âgé, sur l'escalier, dehors, devant la maison. Ils tenaient leurs fusils entre les genoux, les bouteilles devant eux.

N'OUBLIE PAS, CHRISTINA...

» Depuis trois semaines, un nouveau commandant de la place était arrivé à Czersk. On ne parlait que de lui. Il avait fait arrêter et envoyer sans hésitation dans le camp de concentration de Bromberg, comme ils appelaient alors Bydgoszcz, dis-sept hommes qui avaient refusé de devenir allemands. Dans une seule nuit il avait fait disparaître tous les Juifs en les chargeant dans des camions. Beaucoup plus souvent qu'autrefois, des patrouilles surgissaient à l'improviste dans les villages. Mais surtout, dans un accès de rage, il avait juré d'extirper de sa région cette canaillerie de partisans, comme il disait, quel que fût le prix à payer pour cela !

» Ses menaces, heureusement, ne servaient pas à grand-chose, car nos forêts sont vastes et les partisans étaient bien renseignés. Ce soir tragique, ma mère était en train de raconter que dans le cimetière près de l'église un groupe de soldats ivres avaient renversé et brisé les pierres tombales. Seules les pierres portant des noms à consonance germanique avaient été épargnées par les vandales. Dans toute la contrée, cette profanation avait soulevé la colère des habitants. Le jeune partisan, hors de lui, se mit à lancer des imprécations en faisant de grands gestes et brusquement un coup de feu partit. La détonation retentit dans tout le village et l'écho en fut répercuté par la forêt. Un silence pesant tomba sur les maisons.

» — Imbécile ! cria le vieux partisan en se levant.

» C'est alors que le plus jeune des fils Zabieski apparut sur son cheval noir lancé au galop et sauta à terre en hurlant :

» — Ils arrivent, filez !

» Les partisans prirent leur bicyclette et pédalèrent avec vigueur. Juste à ce moment, les Allemands arrivaient en voiture à l'entrée du village. La poursuite fut courte. Nous trouvâmes peu après les vélos renversés et les corps mitraillés tout près de la forêt. Le soir même, le curé les enterra.

» Le lendemain matin, le commandant en personne parut au village, de bonne heure, accompagné d'une troupe de soldats. Dans notre salle eurent lieu des interrogatoires sans fin, mais tous restèrent muets.

» Oui, on avait vu les hommes ; oui, ils étaient à bicyclette. Non, personne ne les connaissait ici. Oui, bien sûr, on avait entendu le coup de feu, mais personne n'y avait prêté attention ; après tout, c'était la guerre. Non, on ne leur avait rien dit. Oui, bien sûr, on se sentait allemands. Oui, on avait accepté de devenir allemands. Enfin, le commandant accrocha mon père. « Comment vous appelez-vous ? » lui demanda-t-il. Mon père déclina son identité. Le commandant le regarda avec surprise et intérêt.

» Etes-vous celui qui joue de la musique avec ses fils pendant les fêtes ? demanda-t-il.

» — Oui, confirma mon père.

» — Jouez quelque chose.

» Mon père nous appela. Victor jouait du violoncelle, mon frère Joseph jouait du violon alto, moi du violon et mon père de la flûte. Mon père était un vieux renard. Il feuilleta ses partitions et choisit le *Quatuor de l'Empereur*, de Haydn. C'est la mélodie de l'hymne national allemand, mais non pas imprégnée de fanatisme, tout au contraire tendre et mélodieuse. Nous jouâmes de tout notre cœur.

» — C'était très bien, approuva le commandant. Vous m'avez convaincu. (Son sourire grimaça.) Venez aujourd'hui, vers quatre heures, dans la ferme des Rogalka, à l'entrée du village. Venez avec vos instruments, vous avez compris ?

» Nous avions bien compris ce qu'il voulait, mais ne comprenions pas pourquoi. Il était déjà onze heures quand, enfin, les soldats partirent. Nous allâmes nous renseigner au village, nous questionnâmes la famille Rogalka. Personne n'était au courant, nous sentîmes seulement une lourde anxiété monter en nous.

» Nous arrivâmes à la ferme des Rogalka avant l'heure prévue et nous assîmes autour de la fontaine. Puis les Allemands parurent. Les soldats descendirent de trois camions et formèrent une chaîne tout autour de la ferme. Le commandant descendit de sa voiture décapotable, nous fit un signe et marcha sur la maison des maîtres.

» — Etes-vous Wojtek Rogalka ? demanda-t-il au fermier.

» — Oui.

» — Votre ferme est confisquée. Des Allemands qui doivent quitter la Russie Blanche vont venir habiter ici. Vous avez une demi-heure pour emporter l'indispensable, vingt kilos de bagages par adulte. (Il regarda sa montre.) Il est seize heures cinq, toute votre famille doit monter dans ces voitures.

» — Même les enfants ?

» — Oui.

» — Et les servantes ? Et les garçons de ferme ?

» — Tous ceux qui habitent la ferme.

» Le fermier, l'air hagard, retourna à la ferme. Par la fenêtre ouverte, on entendit les femmes pleurer.

» Nous aurions dû nous y attendre. Il y avait longtemps que nous avions entendu dire que des fermes étaient évacuées par la force, les habitants déportés. Les Allemands réfugiés de Russie recevaient tout : maison, ferme, bétail.

» Le commandant traversa la cour ; il vint se planter devant nous, jambes écartées.

» — Pendant cette demi-heure, vous allez jouer

de la musique. Et, pour finir, vous jouerez l'hymne allemand.

» Il sourit méchamment.

» Les yeux de mon père cillèrent avec nervosité.

» — Vous ne pouvez pas exiger cela de nous, fit-il.

» — Vous êtes bien des Allemands, n'est-ce pas ?

» Il jouait avec son petit pistolet 6,35 qu'il avait sorti de son étui.

» — Alors, est-ce pour bientôt ? lâcha-t-il en scandant ses mots.

» Mon frère Victor, qui était encore un enfant ou presque et qui était pâle de peur, fut le premier à effleurer son violoncelle. Et bientôt les notes de notre quatuor retentirent dans la cour. Le visage sombre, mon père nous avait ordonné de jouer. Sa flûte rendait un son clair et pur. Nous jouions un choral de Bach. Un sourire cynique aux lèvres, le commandant nous laissa le choix. À quatre heures et demie, il interrompit notre choral *Quand nous aurons atteint le fond de la détresse* en frappant trois fois entre ses mains. Les Rogalka étaient devant la porte, avec leurs sacs et leurs paquets.

» — J'aime Bach, dit le commandant, et j'ai compris pourquoi vous avez voulu jouer cet air. Mais maintenant c'est moi qui choisit. Jouez l'hymne allemand.

» Pour la deuxième fois de la journée, le *Quatuor de l'Empereur* retentit. Avec surprise, nous entendions la flûte de mon père sonner plus forte et plus claire que jamais.

» Les Rogalka montèrent sur le plateau du camion. Wojtek Rogalka fermait la marche. Il s'arrêta et cracha sur le sol devant nous. D'un coup de crosse dans le dos, un soldat le fit avancer. Au milieu de la dernière mesure, mon père s'interrompit sur une note aiguë. Le moteur du camion ronfla, le commandant monta dans sa voiture, passa à côté de nous et s'arrêta.

» — Vous jouez magnifiquement, je viendrai vous revoir.

» Finalement, nous nous retrouvâmes seuls dans la cour de la ferme, la tête basse. Mon père, qui n'était pas furieux, mais plutôt rempli d'une tristesse infinie, brisa sa flûte sur le bord de la fontaine et en jeta les morceaux par terre. Depuis ce jour, on n'entendit plus un seul instrument dans la maison. Mon père, qui avait été jusque-là un homme de caractère enjoué, devint silencieux et renfermé. « Ces gens-là, ces gens-là », répéta-t-il souvent.

— Il aurait mieux fait de dire : ces damnés Allemands, fit André.

Christina et Jeanne baissèrent la tête. Seul Janec se défendit avec lassitude :

— Pourquoi nous injuries-tu, André ? A cette époque, nous n'étions pas encore nés.

— Ah ! vous êtes allemands ? demanda le vieil homme. Je n'aurais pas dû vous raconter cette histoire. Mais avec votre musique... (Il regarda son violon.) Je ne pensais même pas pouvoir jouer après tant d'années. (Il regarda ses doigts engourdis.) Mais ça fonctionne encore. Et puis... (Il regarda André d'un air moqueur.) C'est justement à un Allemand que je dois mon violon.

L'attention des jeunes gens se fixa à nouveau sur lui.

— Trois jours après, le commandant nous convoqua à Czersk, avec nos instruments. Il avait appris ce que mon père avait fait. Furieux, il confisqua nos instruments. Je perdis mon violon. Il m'avait été offert pour mes huit ans par mon oncle qui était aussi mon parrain. Ce jour-là, il avait attelé sa voiture et m'avait emmené en ville. Le marchand voulait absolument nous vendre un violon d'écolier. « Qui peut savoir si l'enfant est doué ? » disait-il. « Ce garçon est doué », déclara mon oncle, et il s'obstina à vouloir acheter un bon, un très bon violon. Pendant un long moment, il examina, hésita, rejeta, jusqu'à ce que son choix se fixe sur ce violon.

» — C'est celui-là que je veux, dit-il.

» — Vous n'y pensez pas, se récria le marchand, surpris. Mon père a acheté ce violon à un prix d'or à un gitan, il y a des années. Il vous coûtera gros !

» — Combien ?

» Le marchand se gratta le nez, hésita un peu et demanda finalement la somme énorme de 270 zlotys d'avant-guerre. Mon oncle paya sans discuter ; toutefois il prit avec l'étui du violon, sans demander combien il coûtait. Malgré tout, le marchand se frottait les mains.

» Quinze jours après que les instruments nous eurent été confisqués, trois soldats à vélo parurent dans notre village. L'un d'eux portait l'étui de mon violon sur son guidon. Ils s'arrêtèrent devant notre maison et celui qui portait mon violon pénétra, d'un pas mal assuré, dans notre boutique. Il tendit l'instrument à ma mère en disant : « Votre fils joue merveilleusement bien. J'étais dans la ferme des Rogalka. Je suis contre tout ça et beaucoup pensent comme moi. Mais, que voulez-vous, nous sommes obligés d'obéir ! »

» Ma mère lui fit face en silence. Elle était pleine de répulsion, mais sa haine fondit devant ce regard clair. Elle comprit d'un seul coup que personne n'avait le droit de cataloguer les gens ainsi : d'un côté, les méchants Allemands ; de l'autre, les bons Polonais. Elle m'appela :

» — Prends ton violon et dis merci.

48

» — Il faut que je dise merci à un **Allemand** ? me rebiffai-je.

» — Il faut que tu dises merci à cet homme, me répondit-elle.

Le paysan vida son gobelet. Il se leva et, par-dessus le banc, il attrapa une photo jaunie dans son cadre ; il la regarda puis la leur tendit.

— Là, regardez. Cette photo a été prise quand nous étions encore tous ensemble. Ce devait être en 1946.

La photo montrait une famille sur un escalier devant la petite boutique d'un village.

— Et vous, où êtes-vous ? demanda Christina.

Avec une brindille de bois, il désigna un mince jeune homme.

— A l'époque, j'étais étudiant à Varsovie. C'était avant que mon père, puis mon frère, ne meurent la même année. Je dus alors venir dans cette maudite ferme ; adieu le rêve de devenir médecin un jour !

Il remit la photo en place.

— Jouons encore, pria-t-il.

Ils acceptèrent.

— Un choral de Bach ? demanda Christina.

— Oui. *Quand nous aurons atteint le fond de la détresse.*

Ils jouèrent le choral jusqu'à la fin, puis restèrent un moment silencieux. Enfin Janec se leva.

— Je crois bien que nous avons atteint le fond, dit-il en élevant exagérément la voix, il est presque minuit.

— Il faudra que vous reveniez.

Ils promirent et prirent congé du paysan. Cependant, le vieil homme ne lâcha pas son violon et, tandis qu'ils s'éloignaient dans la nuit, les jeunes gens entendirent, longtemps encore, la musique qui jaillissait du splendide violon, muet pendant trente ans.

Marchant bras dessus bras dessous, ils atteignirent enfin les premières maisons de la ville. Car Skoronow prétendait fièrement être une ville depuis que la filiale du combinat industriel s'y était installée. Mais le vieux quartier, qui se serrait autour de son église en brique, comportait surtout des maisons basses, aux lourdes toitures, et ne méritait guère plus que la qualification de village.

— Il faut que je raccompagne Christina chez elle, déclara Janec, autrement la vieille pensera qu'elle a passé la nuit avec un ami !

Mais, contre toute attente, grand-mère n'était pas furieuse. Bien sûr, elle attendait Christina, encore tout habillée dans son fauteuil de bois. Pourtant le sermon redouté n'eut pas lieu.

— Allez vous mettre au lit, vous les couche-tard ! dit-elle lorsque Janec commença ses explications. Il fera jour demain.

Mais Christina ne trouva le sommeil qu'aux premières lueurs de l'aube.

BASIA. — Quand je me regarde dans une glace, la colère me prend. Trop de graisse sur les hanches, des jambes comme des poteaux, la tête trop large. André me voit autrement : cheveux couleur des blés, un teint café au lait. Mais André est poète, il me dit qu'il ne comprend le monde qu'après l'avoir vu se refléter dans mes prunelles.

Tout le monde dit que je suis une mathématicienne-née. Si seulement les gens savaient qu'on n'en a pas la tête froide pour autant ! Je suis très sensible, les mots me transpercent aisément, me font prisonnière, me rendent triste, me déchirent. Les psaumes de l'Eglise me vont droit au cœur, un peu plus profondément chaque fois que je les entends.

Ce qui m'émeut aussi, c'est lorsque quelqu'un parle avec conviction, comme mon père, par exemple, lorsqu'il prépare un rapport pour le parti et que nous devons l'écouter. Je comprends alors très bien ce qu'il veut dire. Que l'individu doit se soumettre à la doctrine, que c'est l'égoïsme qui empêche la justice, qu'il faut utiliser toutes ses forces vives pour bâtir un monde meilleur. Et mon père ne fait pas que parler : deux fois par semaine, il se rend au siège du parti, à Varsovie. Il travaille du matin au soir. Cependant, il se met en fureur chaque fois que ma mère dit que nous aurions besoin d'un logement plus grand.

La semaine dernière, il m'est arrivé avec lui la même histoire qu'hier avec Janec. Je lui ai dit qu'il se trompait sur l'Eglise. Il ne voit tout que sous l'angle de la force ; je voulais lui dire qu'on ne comprend l'Eglise que sous l'angle de l'amour. Mais je n'ai pu le convaincre.

Ma mère travaille au combinat comme dessinatrice. Elle voudrait s'entendre bien avec tout le monde. Parfois elle va à l'église, parfois elle opine avec approbation quand papa vitupère contre « l'opium du peuple ». Je me suis souvent demandé d'où je tire ma conviction inébranlable que Dieu existe. Je ne vois pas d'explication. Je crois que ce sont les paroles de l'Ecriture qui me sont allées droit au cœur.

Quand je me regarde dans une glace, je suis triste. Des hanches trop fortes, des jambes comme des poteaux. Alors je m'approche tout près de la glace, je me regarde dans les yeux, pour voir ce qu'André y voit. Mais c'est bien comme il le dit : on ne voit bien le monde que dans les yeux des autres.

51

N'OUBLIE PAS, CHRISTINA...

*
* *

Mercredi arriva. Dans le froid du matin, les trois femmes attendaient la voiture de Janec et de M. Gronski. Grand-mère faisait les cent pas, le buste droit et la démarche ferme, malgré ses soixante-deux ans. Rosa, la mère de Christina, blonde et potelée, bien emmitouflée, s'était adossée à un arbre. Lorsqu'elles étaient côte à côte, on remarquait combien Christina ressemblait à sa grand-mère. Elle était plus mince et de traits plus fins, mais elle avait le même maintien, la même démarche assurée. Comme Wolf tirait sur sa laisse, Christina le détacha.

— Je te préviens — la grand-mère montrait le chien du doigt — si nous avons des difficultés à cause de lui, nous le laisserons.

— Alors moi aussi, je resterai ici ! Wolf est mon chien.

— Et que feras-tu toute seule ?

— On verra bien, je ne suis plus une enfant...

— Cessez de vous disputer, intervint Rosa. Il n'y aura aucune difficulté ; j'ai entendu dire, il n'y a pas longtemps, qu'un cultivateur avait eu l'autorisation d'emmener son bétail.

Le camion parut enfin ; Janec et Christina grimpèrent sur le plateau, mais eurent toutes les peines du monde à faire monter le chien. Les deux femmes se serrèrent dans la cabine à côté de M. Gronski.

— C'est un vieux clou, mais il marche encore ! dit joyeusement M. Gronski. Janec est doué pour s'occuper des moteurs, vous savez ! Il a travaillé trois jours sur cette machine. Je lui ai dit au moins dix fois que ça n'en valait pas la peine. Mais il s'est entêté et il a fini par remettre le moteur en route.

— Notre Janec ? demanda la mère avec surprise.

— Et comment qu'il l'a réparé ! Depuis quatre

semaines, le camion marche sans avoir de panne, si l'on excepte le chauffage. Et pourtant la bête a déjà parcouru trois cent mille kilomètres.

— Je ne savais pas que notre Janec était si doué, dit la mère.

— Cela vient du sang, déclara grand-mère. Quand je pense à mon mari...

— A la maison, il ne montre guère son talent, l'interrompit sa belle-fille. Il y a des semaines que le robinet coule. La nuit, je dois mettre une cuvette dans l'évier, le bruit des gouttes me rend folle, je n'en dors plus.

— Est-ce que la cuvette sert à quelque chose ? demanda grand-mère.

— Guère. Au bout d'un certain temps, le bruit des gouttes change, mais ça fait quand même du bruit.

— Vous devriez attacher une ficelle au robinet et la laisser pendre dans l'évier, conseilla M. Gronski. L'eau coulera sans bruit le long de la ficelle et, comme ça, vous pourrez dormir en paix.

Grand-mère se mit à rire.

— Et dire que c'est un artisan qui parle ! Le robinet a besoin d'un nouveau joint en caoutchouc. Voilà ce qu'une femme vous dit !

— Bien sûr, fit Gronski, c'est ça. Mais il faut s'y mettre. Ma femme ne comprenait pas, non plus, que je n'aie aucune envie de travailler à la maison. Il a bien fallu qu'elle s'y fasse !

— Elle laisserait couler le robinet ?

— Hélas ! non. Elle me houspille jusqu'à ce que je le répare !

— Ah ! on a bien besoin d'un homme à la maison ! soupira Rosa.

— Tu le retrouveras bientôt, ton homme, dit fermement la grand-mère.

53

— Il y a quatre ans que tu me dis cela. Il a peut-être déjà une autre femme, ton fils ! Je ne pourrai jamais oublier qu'il m'a privée de mes meilleures années.

— A-t-il écrit ?

— Oui, la semaine dernière. Il a un petit logement.

— Quel idiot ! fit Gronski en secouant la tête. Il avait ici une belle situation comme ingénieur, il était bien considéré à l'usine. Il a rapporté le premier un téléviseur de Varsovie. Et puis, soudain, il a filé. Comprenne qui pourra !

— Il fallait qu'il entre en Allemagne, expliqua la grand-mère. Il est allemand, que voulez-vous.

— Qu'est-ce que nous sommes, au juste ? s'énerva Gronski. En 1939, j'ai mis l'uniforme polonais. En trois semaines, la guerre était finie. En 1943, j'ai revêtu l'uniforme allemand. Pendant deux ans, et puis fini. En 1945, j'étais de nouveau polonais. Je le suis toujours et j'entends le rester, vous comprenez ?

— Allemand, polonais, qu'est-ce que cela peut faire ? L'important, c'est que les hommes soient heureux. Et nous étions heureux, n'est-ce pas, jusqu'à ce qu'il s'en aille.

— Rosa, comment peux-tu dire des choses pareilles !

Grand-mère regardait sévèrement sa belle-fille.

— A vrai dire, madame Bienmann, personne n'a réellement compris, intervint Gronski. Là, je donne raison à Rosa. Il avait une bonne place au combinat ; une gentille femme, deux petits et un bel appartement.

— C'est ce que dit l'hirondelle à l'automne, répondit la grand-mère, et pourtant, est-ce qu'elle ne partira pas ? Pourquoi ne veux-tu pas le comprendre, Rosa ? Tu le connais, pourtant.

N'OUBLIE PAS, CHRISTINA...

— Dis plutôt que ça n'allait plus, au combinat, maman ; que les autres lui faisaient des reproches à propos d'une nouvelle machine, qu'il s'était disputé avec ses collègues un jour où il avait bu, qu'entre lui et moi ça n'allait pas sans grincements de dents.

— Tais-toi, Rosa, c'est ton mari.

— C'est bon, c'est bon, je suis d'accord pour le rejoindre.

— Bien sûr, reprit Gronski, je comprends que vous rejoigniez votre mari. Mais qu'en disent les enfants ?

— Une famille ne se sépare pas ! déclara grand-mère.

— Je ne sais pas... Janec aimerait bien rester ici.

— Janec est mon petit-fils. Son père est là-bas, le fils partira lui aussi.

— Tu verras qu'ils refuseront encore notre demande, dit la mère d'une voix indifférente.

— Nous sommes arrivés.

Le ciel s'était éclairci et une belle journée s'annonçait. Dans la lumière du matin, la ville semblait fraîchement lavée. Les maisons basses, en bois, couvertes de tuiles, brillaient doucement.

M. Gronski éteignit les phares, traversa la vaste place du marché et s'arrêta devant le bâtiment qui abritait les services administratifs de la ville.

— Les bureaux n'ouvrent qu'à huit heures et demie, fit remarquer Rosa. Nous n'étions encore jamais arrivés aussi tôt, nous serons parmi les premiers.

Ils remercièrent M. Gronski.

— Bonne chance, leur souhaita-t-il.

Puis il appela Janec :

— Viens me rejoindre sur le chantier dès que tu auras fini ici. Le chauffage du camion ne marche pas.

N'OUBLIE PAS, CHRISTINA...

— Entendu !

Ils se groupèrent avec les gens qui attendaient déjà sur les marches, devant la porte à deux battants. Ils étaient bien une douzaine. Les femmes se drapaient dans leurs manteaux, car le soleil n'avait pas encore de force à cette heure matinale. A huit heures et demie, la porte s'ouvrit.

« C'est la neuvième fois que je viens ici, pensa Christina, et chaque fois je suis énervée. »

Vers neuf heures, les premiers arrivés entrèrent dans le bureau. L'attente dura longtemps et bientôt il y eut foule. Rosa était assise entre ses deux enfants. Elle avait sorti son crochet et ses doigts travaillaient sans relâche. Elle regarda ses mains fines et soignées, aux ongles soigneusement laqués. Quand elle tapait à la machine, ses doigts couraient avec agilité sur le clavier. Son chef l'appréciait beaucoup ; plusieurs fois déjà, il avait essayé de la convaincre de renoncer à son projet de quitter le pays. Elle avait quand même une bonne place...

Rosa savait très bien qu'il ne voulait pas la conserver uniquement parce qu'elle était une bonne dactylo. M. Jarosinski voyait en elle plus que sa secrétaire. S'il ne l'avait pas aidée à l'époque où son mari avait disparu, elle aurait sans doute bien vite perdu sa place. Seulement voilà ! Peut-être avait-il ainsi espéré obtenir d'elle plus que ce qu'un contrat ne permet normalement d'exiger d'une secrétaire... Il lui avait trouvé un bel appartement, comprenant que la vie n'était plus tenable, à quatre, dans un logis étroit, entre les aigus de la flûte, les aboiements du chien, les criailleries...

— Tu étais devenue trop nerveuse, Rosa... Mais est-il vraiment nécessaire de prendre Janec avec toi ? avait-il demandé avec un sourire amer.

— Bien sûr. Un fils reste avec sa mère.

N'OUBLIE PAS, CHRISTINA...

— Et ta fille ?

Rosa avait haussé les épaules. Elle ne comprenait pas pourquoi Christina avait obstinément voulu rester avec sa grand-mère. « M. Jarosinski trouvera que c'est mieux ainsi », avait-elle lancé avec insolence. Rosa avait giflé sa fille. Quel toupet ! Mais la petite part de vérité qu'il y avait là l'avait mise en fureur ; petite part de vérité ? Rosa repensa à l'invitation de Jarosinski : il lui proposait de passer un week-end à Varsovie. Il y avait maintenant quatre ans que Christian, son mari, était parti. Quatre ans, c'est long, beaucoup trop long.

« C'est Gronski qui a raison, pensa-t-elle. Christian est idiot de s'être expatrié. »

Il l'avait épousée autrefois, contre la volonté du père de Rosa. A l'époque, il y avait dix ans que la guerre était finie ; le père de Rosa avait reçu depuis longtemps la nationalité polonaise et il était devenu une personnalité du parti. Aussi Christian le gênait-il.

— Un bon ingénieur, mais une tête folle d'Allemand !

Telle était l'opinion la plus aimable qu'il ait jamais émise sur son gendre. N'avait-il pas raison ? Une vraie tête folle, ce Christian. Au cours d'une visite des ingénieurs en chef du combinat en République populaire de Bulgarie, n'avait-il pas eu l'idée de se réfugier en Turquie, et sans souffler un seul mot de son projet ! Même sa mère, qui pourtant le soutenait sans cesse, avait été stupéfaite et n'avait pas voulu croire à sa fuite. La première lettre arriva d'Allemagne fédérale après trois mois d'attente. Trois mois d'incertitude jalonnés par les interrogatoires de la milice, marqués par les entretiens avec ses collègues du combinat, assombris par les allusions des voisins. Personne ne voulait croire que

Christian n'avait réellement parlé à personne de ses projets.

L'attente se prolongeait. L'homme qui était assis à côté de grand-mère engagea la conversation en montrant Wolf du doigt :

— Est-il de pure race ?

— Je ne crois pas. Il a du sang de loup dans les veines.

— Oui, ça se voit à ses yeux jaunes et à son crâne. Je m'y connais un peu.

Le chien bâilla.

— Et cette mâchoire ! reprit l'homme. Voyez un peu. Elle est incroyablement forte. Comment avez-vous eu ce chien ?

— C'est ma petite-fille Christina qui l'a reçu de son oncle Victor de Varsovie. Personne ne pouvait plus venir à bout du chien quand l'oncle est mort. Cela a commencé la nuit qui a précédé son enterrement. J'étais partie à Varsovie avec ma belle-fille, Janec et Christina. Nous sommes arrivés l'après-midi. La tante était calme et savait se maîtriser. Elle avait aidé à le mettre en bière dans la salle de séjour.

» — Pourquoi ne fais-tu pas sortir le chien de la pièce ? demandai-je.

» Etendu de tout son long, Wolf s'était couché au pied du cercueil, la tête entre les pattes. Il ne bougeait pas et, si ses yeux jaunes n'avaient pas été pleins de vie, on aurait pu croire que le chien était mort, lui aussi.

» — Cet animal ne veut pas m'obéir, répondit la tante. Nous avons tout essayé, pas moyen de le faire bouger !

» — Ce n'est pas sa place, dis-je en saisissant le chien par le collier.

» Je tirai de toutes mes forces. La bête se contenta de me regarder, sans aboyer ni grogner. Janec essaya à son tour de l'attirer avec un beau morceau de viande, mais le chien ne leva même pas le nez.

» — Et il y a deux jours qu'il n'a rien mangé ! soupira la tante.

» Rosa essaya à son tour, sans succès.

» — Laissez-le donc tranquille ! dit Christina, il ne dérange personne.

» Elle s'approcha alors du chien, le caressa et lui parla doucement. Le chien remua la queue. Pour la première fois depuis la mort de Victor, l'animal consentit à bouger ; il leva la tête et la posa sur les genoux de Christina. Ensuite, il but l'eau qu'elle lui apporta et, peu après, quitta la pièce avec elle. Mais le soir, lorsque les voisins s'assemblèrent dans la chambre mortuaire pour dire le chapelet, il s'était recouché à sa place.

» Il était tard quand nous allâmes enfin nous coucher. Christina et moi devions dormir dans la chambre de la tante, Rosa devait se reposer dans la petite chambre contiguë à la salle de séjour (c'était la chambre de Zygmunt, le fils de Victor), le garçon couchant chez des voisins ce soir-là.

» — Et Janec, où le met-on ? demanda la tante.

» — Oh ! je peux bien dormir sur le tapis par terre.

» — Ce serait du beau ! protesta la tante. Il y a un canapé dans la chambre de Zygmunt, il est bien un peu petit, mais pour une nuit...

» — D'accord, ça ira très bien, déclara Janec en s'allongeant sur le canapé de tout son long. Oh ! comme il est mou ! s'exclama-t-il alors.

» — D'habitude, c'est le chien qui y dort, expliqua la tante, mais maintenant il ne veut plus quitter la pièce d'à côté.

» Elle apporta une montagne de couvertures, et bientôt nous fûmes tous couchés.

» Soudain, Rosa se réveilla en sursaut. Elle avait entendu du bruit près de la porte, une sorte de grattement. La porte s'ouvrit et la lumière des cierges qui brûlaient dans la chambre mortuaire se refléta dans la pièce. Rosa était paralysée par la peur. Le chien apparut, il avait réussi à ouvrir la porte en appuyant sur la poignée ; il s'approcha du lit, posa ses pattes de devant sur la couverture, retroussa ses babines et émit un grognement profond.

» — Janec, cria Rosa, Janec !

» Le garçon, qui dormait à poings fermés, se redressa.

» — Qu'y a-t-il ? Pourquoi as-tu ouvert la porte ?

» — Le chien, regarde le chien.

» Elle s'était reculée dans son lit, jusqu'à toucher le mur. Janec se leva.

» — Attends un peu, je vais lui montrer quelque chose.

» Mais il venait à peine de se lever que le chien, d'un bond, avait sauté sur le canapé ! Satisfait de retrouver sa place habituelle, il se roula sur lui-même.

» — Oh ! là, tu exagères, compère ! dit Janec.

» Et, attrapant le chien par la fourrure, il voulut l'obliger à descendre. Mais le chien se dressa brusquement en grognant et regarda Janec d'un air menaçant. Le garçon recula, effrayé. Il essaya une nouvelle fois de faire descendre le chien, sans succès.

» Rosa, qui voyait le danger s'éloigner d'elle, ne put s'empêcher de rire.

» — Qu'est-ce qu'on fait maintenant ? demanda Janec.

» Il était debout en sous-vêtements, frisonnant et furieux contre sa mère qui riait, contre le chien qui ne lui avait pas laissé la moindre place et contre lui-même.

» — Va chercher Christina, conseilla sa mère. Elle seule pourra nous débarrasser de ce chien !

» Janec entra dans la chambre à côté... Mais la lueur des cierges, le corps dans le cercueil, ce visage livide... Janec revint vivement dans la chambre, dont il claqua la porte.

» — Ce n'est pas la peine de faire tout ce cirque ! Ce n'est pas grave, je dormirai dans le fauteuil.

» Rosa partagea ses couvertures avec lui, et Janec passa le reste de la nuit roulé en boule dans le vieux fauteuil, maudissant le chien et ce voyage à Varsovie.

» Le lendemain, ce fut la même chose. Seule Christina réussit à se faire obéir de Wolf et, après l'enterrement, le chien suivit ma petite-fille sans hésiter.

» — Garde le chien avec toi, je t'en prie ! supplia la tante.

» Il n'y avait rien d'autre à faire. C'est ainsi que nous avons eu ce chien.

— C'est vraiment une belle bête, dit l'homme. Je m'y connais. Voulez-vous l'emmener avec vous ?

Christina devint écarlate.

— Sans le chien, je ne pars pas !

Grand-mère caressa la tête de Wolf.

— On y arrivera bien, n'est-ce pas, Wolf ?

*
* *

Il était onze heures quand ce fut enfin leur tour.

— Vous désirez ? demanda un homme de petite taille, tassé derrière son bureau.

Il regarda grand-mère en cillant des yeux, derrière les verres épais de ses lunettes. Elle ne répondit rien et se contenta de déposer les demandes sur le coin du bureau. L'employé prit les formulaires et commença à les lire point par point. Avec un gros crayon rouge, il pointait chaque réponse.

Quand il eut terminé sa lecture, grand-mère lui tendit la lettre l'invitant à venir en Allemagne occidentale, l'extrait de compte de la banque confirmant l'arrivée de l'argent pour le voyage, l'avis de l'employeur attestant que Rosa et Janec étaient autorisés à partir, l'attestation de la Caisse de Maladie, du service d'électricité, du service des eaux, des banques et caisses d'épargne et de la commune. Il y avait aussi une lettre de l'Office du logement indiquant que le logement était libre et disponible.

L'employé lut soigneusement tout le dossier. Grand-mère souriait. Faire neuf fois la même demande, cela crée une routine. Elle avait recommandé à son neveu de l'Ouest d'écrire en polonais. Elle avait écrit tous les prénoms en polonais, les indications des papiers officiels avaient été écrites de la façon réglementaire.

L'employé demanda les photos du passeport. Grand-mère les lui tendit. Il les examina attentivement et les compara avec les personnes qui se tenaient devant lui. Apparemment, tout allait bien. Elles avaient été prises seulement quinze jours plus tôt et l'oreille gauche été visible sur chacune d'elles.

Il hocha la tête d'un air satisfait et alluma un cigare. Puis il se tourna vers eux.

— Et le chien ? dit-il en désignant Wolf du bout de son cigare.

— Est-ce qu'il lui faut aussi une photo ? demanda Janec, ironique.

— Non, bien sûr. Mais est-il vacciné ?

Grand-mère lui montra les attestations.

— Joseph, passe-moi la règle, dit-il entre deux bouffées de cigare, à l'employé âgé qui occupait le dernier bureau, et qui était en train de plier le papier enveloppant son pain au lait.

D'un seul coup, le silence devint tendu. Joseph lui lança la règle, qu'il attrapa au vol. Il posa les photos l'une après l'autre contre la règle graduée, les poussa de la pointe d'un crayon pour les placer juste en face des graduations et les examina longuement.

Puis il leva le regard, retira ses lunettes, en essuya les verres avec un mouchoir d'une blancheur irréprochable.

— Je regrette, vos photos sont trop petites.

D'un geste rapide, il déposa ses lunettes, les attestations et les documents et les tendit à la grand-mère :

— Vous reviendrez quand vous aurez des photos aux dimensions réglementaires.

Grand-mère ne parut pas surprise. Elle demanda paisiblement :

— A part les photos, tout est en ordre, cette fois-ci ?

— Oui, confirma le petit employé ; mais, vous savez, si les photos ne sont pas réglementaires, tout le reste ne sert à rien.

— Je voudrais les photos.

Il les jeta sur le bureau. Elle les prit, les rangea... et resta sur place.

— Eh bien, petite mère, qu'y a-t-il ?

— Je veux parler à M. Naczelnik.

— Quoi ?

— Je veux parler de cette affaire à M. Naczelnik.

— Que lui voulez-vous ?

— C'est à lui-même que je l'expliquerai !

— M. Naczelnik a des choses plus importantes à faire. C'est lui qui dirige le service. Il ne veut pas être importuné par des affaires de ce genre.

— Vous n'en savez rien. Laissez-le décider lui-même. Veuillez nous annoncer.

— Par le diable, je vais le faire !

La voix de l'employé devint aiguë d'énervement. Il se dressa.

— Nous avons le droit de parler à M. Naczelnik. Vous pouvez nous empêcher, mais nous nous plaindrons.

— Laisse tomber, Leck, conseilla le vieux Joseph.

— M. Naczelnik est absent pour le moment, déclara M. Leck d'un air acide. Allez voir vous-même, premier étage, bureau n° 1.

Ils se dirigèrent vers l'escalier. Christina demanda :

— Que veux-tu faire, grand-mère ?

Elle avait peur tout d'un coup.

— Mémé croit qu'elle va casser le mur en tapant dessus, lui répondit Janec.

La grand-mère ne se laissa pas arrêter.

— Les mesures sont justes. Je vais le leur prouver.

La porte du bureau n° 1 n'avait pas de sonnette. Il fallait s'annoncer au bureau 1 A, celui de la secrétaire. La jeune fille était justement en train de téléphoner. Au regard qu'elle jeta sur les arrivants et à ses réponses au téléphone, il était facile de deviner que son correspondant était M. Leck, du rez-de-chaussée. Elle reposa le combiné.

— Nous sommes venus..., commença grand-mère.

— Je suis déjà au courant, coupa sèchement la secrétaire. M. Naczelnik est absent.

— Nous l'attendrons.

— Il ne viendra pas avant trois heures.

— Nous attendrons.

— Vous ne pouvez pas attendre ici. Les bureaux sont fermés à midi.

— Nous attendrons ici. Nous avons quand même le droit...

La voix de grand-mère était déjà forte et sonore quand elle parlait calmement. Mais, en ce moment-ci, sa voix résonnait comme un coup de tonnerre.

— Oui, mais..., bégaya la secrétaire.

Elle voulut appeler quelqu'un au téléphone, lorsque la porte du bureau n° 1 s'ouvrit brusquement. Un homme mince qui ne devait guère avoir plus de trente-cinq ans parut sur le seuil.

— Qu'est-ce que tout ce bruit ? demanda-t-il, agacé.

Grand-mère se tourna vers lui.

— Etes-vous M. Naczelnik, le directeur de cette administration ?

— Oui.

— Nous devons absolument vous parler.

— A quel sujet ?

— Notre République a été insultée par les réactionnaires de vos bureaux.

Pendant un moment, ils restèrent pétrifiés. Seul Janec réprimait difficilement un fou rire. La secrétaire se ressaisit la première :

— Mensonge, cria-t-elle, M. Leck Bordczek m'a dit au téléphone que ces personnes veulent absolument quitter le pays. Ce sont des Boches.

— Je maintiens mon point de vue et je peux le prouver.

M. Naczelnik ouvrit la porte de son bureau.

— Veuillez entrer. Mais faites vite, car j'ai beaucoup à faire.

— Bien sûr, dit grand-mère.

Ils s'assirent sur des sièges en bois verni, devant un magnifique bureau de chêne clair. Le sol était recouvert d'un tapis blanc de haute laine, des gravures modernes ornaient les murs. La pièce n'avait rien d'un triste bureau de travail.

— Vous avez du goût, déclara grand-mère.

« Elle lui parle comme si elle côtoyait chaque jour les directeurs d'administration », pensa Christina. Wolf parut se plaire dans la pièce ; il s'allongea sur le tapis, enfouissant son nez dans la laine épaisse, qu'il renifla. M. Naczelnik le regarda avec intérêt :

— On dirait qu'il sent encore l'odeur des moutons !

Puis il prit place dans son fauteuil et s'adressa à eux.

Grand-mère fouilla dans son sac, en sortit les photos qu'elle posa sur le bureau, sans mot dire.

— Eh bien ?

— Les photos doivent avoir la dimension réglementaire, dit Rosa, comme grand-mère continuait à se taire.

— Et alors ?

M. Naczelnik commençait à s'impatienter.

— L'employé en bas les a mesurées. Il soutient qu'elles sont trop petites.

— Mais, madame, c'est avec ça que vous voulez me faire perdre mon temps ?

— Les photos sont justes, au dixième de millimètre près, coupa grand-mère. (Elle prit dans son sac un morceau d'étoffe, en sortit le pied à coulisse.) Fabrication polonaise. Il vient du combinat. (Elle saisit une photo.) Fabrication polonaise, belle photo. Je l'ai mesurée avec le pied à coulisse ; elle est juste, au dixième de millimètre près. Et les autres photos aussi.

Grand-mère se leva :

— Comprenez-moi, monsieur Naczelnik. Votre employé en bas prétend que les photos sont trop petites. Il prétend donc, ni plus ni moins, que la mécanique de précision de notre République ne vaut rien. Il prétend que le photographe est un incapable. Il insulte donc la République.

M. Naczelnik s'était levé lui aussi ; il regarda grand-mère droit dans les yeux et elle soutint son regard sans peine. Christina vit un sourire se dessiner sur leurs visages, dissimulé dans les plis de la bouche.

— Je vous fais remarquer que c'est une grave accusation.

— Je le sais bien.

— Remettez vos documents à ma secrétaire. Et n'oubliez pas votre pied à coulisse !

Il leur ouvrit la porte.

— Vous aurez bientôt de nos nouvelles.

Il referma la porte du bureau n° 1. Christina s'épongea le front quand ils se retrouvèrent enfin sur la place du marché.

— Il faisait chaud là-dedans.

— Vraiment, grand-mère, tu es un dragon, dit Janec en riant.

— C'est le dragon qui devrait avoir peur d'elle ! fit Christina.

— On a bien mérité un fortifiant. (Rosa prit le bras de sa belle-mère.) Je vous invite tous à manger.

— Merci, Rosa. Je me sens mieux. Imaginez ce qui se serait passé s'il avait découvert que le vieux pied à coulisse porte la marque *Made in Germany* !

Janec connaissait un petit restaurant dans une rue adjacente. Le repas était bon, l'eau minérale avait suffisamment de goût et il y avait même une bière bien brassée pour grand-mère.

Vers quatre heures, elles prirent l'autobus. Il arriva avec un peu de retard, archibondé comme d'habitude. Elles se serrèrent pour monter dedans.

Grand-mère chuchota à l'oreille de Christina :

N'OUBLIE PAS, CHRISTINA...

— J'ai un pressentiment. Cette fois, ça va marcher.

— J'ai déjà entendu cette prophétie huit fois. Et huit fois ils t'ont foutue dehors...

— Trouves-tu que ce soit là une façon de parler convenable pour une jeune fille ?

Grand-mère la fixa et attendit la réponse. Christina rit et fit oui de la tête.

« La petite devient rebelle, pensa grand-mère. C'est la main du père qui lui manque... Mais elle va le retrouver bientôt. »

*
* *

L'avenir, pourtant, sembla donner raison à Christina. Le sourire de M. Naczelnik ne parut pas avoir de suite.

Pendant des semaines, ils attendirent des nouvelles. Grand-mère guettait chaque jour l'arrivée du facteur devant la porte. Il lui apporta du courrier venant de l'Ouest, des cartes postales en couleur du père de Christina, une longue lettre de l'oncle Bernhard qui parlait des contrats que l'Allemagne de l'Ouest avait conclus avec la Pologne et qui allaient bientôt changer la vie de tous. Il avait l'intention de venir lui-même en Pologne au printemps, avec un groupe de touristes, pour montrer à sa femme où il avait vécu étant enfant.

Mais l'administration de la ville n'écrivait toujours pas.

— Va vite, afin d'être à l'heure, Christina, et salue bien Mme Jablonska de ma part.

Christina avait son livre de musique dans sa poche. Elle prit sa flûte et le cahier bleu que lui avait remis André avec ces mots : *C'est pour notre soirée à la Maison des Jeunes.* Elle avait joué avec lui les dix variations pour flûte et guitare, de très belles mélodies. Cependant, elle n'avait accepté qu'avec réti-

68

cence de jouer à la Maison des Jeunes. André avait dû insister à plusieurs reprises et Basia avait dû joindre ses instances aux siennes. Cela avait provoqué une vive discussion, car un groupe d'intransigeants, venus du nouveau lotissement, ne voulaient absolument pas voir d'Allemands sur la scène de la Maison des Jeunes ! Le directeur lui-même s'en était mêlé : André jouerait avec Christina à la Maison des Jeunes. Mais la tension restait malgré sa décision. Christina redoutait cette soirée et en avait parlé à sa grand-mère. Malheureusement, la vieille dame ne lui avait pas été d'un grand secours.

— Ce n'est pas une honte d'être allemand, mais c'est à toi de savoir ce que tu veux faire.

Christina justement ne savait pas elle-même très bien quelle attitude adopter. Hier, elle était fermement décidée à faire fi du qu'en-dira-t-on. Mais aujourd'hui, quelques heures seulement avant de paraître sur la scène, elle se maudissait d'avoir accepté.

Elle parcourut rapidement les deux cents mètres qui séparaient leur logement de la maison du professeur de musique. Mme Jablonska habitait l'ancienne maison du jardinier d'une belle villa, qui avait appartenu avant la guerre à l'homme le plus riche de la ville : son père, Jablonski, Tissus et Soieries, import-export. Mais la guerre avait tout englouti : M. Jablonski, son épouse et ses enfants. Seule restait la dernière fille.

La villa avait été soigneusement restaurée. Elle était habitée par deux chimistes du combinat et leurs familles. Le parc était bien entretenu, mais au fond, près de la maison du jardinier, où vivait Mme Jablonska, il ressemblait plutôt à la brousse ! Seul un étroit sentier conduisait au logis, bâti en grosses pierres.

N'OUBLIE PAS, CHRISTINA...

Christina s'efforça d'éviter les flaques, car il avait beaucoup plu ces dernières semaines.

Il y avait déjà quatre ans que Mme Jablonska surveillait sévèrement les progrès de Christina. Au début, elle lui disait *tu*, mais, depuis le jour où Christina avait eu quatorze ans, elle lui avait dit *vous*. Mais, que ce soit *tu* ou *vous*, sa sévérité restait aussi grande ! Elle se permettait rarement un mot qui ne soit pas en relation directe avec la musique. La jeune fille aurait pu compter ses rares compliments sur les doigts d'une seule main.

Après six mois d'enseignement, Mme Jablonska avait déclaré :

— Ta bouche est faite pour jouer de la flûte. Tu as de la chance.

Deux ans plus tard, comme la jeune fille venait d'exécuter avec brio une étude difficile, son professeur avait fait simplement ce commentaire :

— Tu as bien travaillé, Christina, il est difficile de parvenir à bien jouer.

Enfin, le jour de ses quatorze ans, elle avait tenu ce discours :

— A partir d'aujourd'hui, je te dirai vous. Il y a en vous l'étoffe d'une grande flûtiste. Dans la musique, on ne progresse que par le travail. Et surtout, tâchez de ne pas penser trop tôt aux garçons ; la flûte est un instrument jaloux !

L'échelle de ses réprimandes était plus colorée, elle allait d'un coup de badine sur les doigts jusqu'à un froncement de ses noirs sourcils. Malgré la sévérité de son professeur, Christina aimait bien aller à son cours de flûte. Elle se sentait attirée par cette femme aux yeux sombres, au teint d'ivoire, aux cheveux d'ébène retenus en arrière par un nœud sévère.

La leçon se déroula de façon habituelle :

— L'embouchure ! voyons, ne confondez pas votre

flûte avec une cornemuse ! Recommencez ! La flûte doit faire un angle de quatre-vingt-dix degrés avec le nez. Ne l'apprendrez-vous donc jamais ?

Pour finir, les exercices que Christina devait étudier chez elle, à la difficulté soigneusement graduée, faisables à condition qu'elle s'exerce chaque jour, mais à cette condition seulement.

La petite pendule en porcelaine posée sur l'étagère sonna la fin de la leçon. Christina demanda :

— Puis-je encore jouer quelque chose de personnel ?

Elle sentit son cœur battre plus vite. Mme Jablonska la regarda avec surprise. Comme d'habitude, elle était restée debout pendant toute la leçon. Elle s'assit dans un fauteuil.

— Bien sûr, dit-elle simplement.

Christina sortit de sa poche le cahier de musique d'André, le feuilleta. Elle respira profondément et attaqua un morceau : dix variations sur *le Passage d'un nuage sombre*, pour flûte et guitare. Mme Jablonska l'écouta sans l'interrompre. Quand Christina eut fini et rangé la flûte, elle resta longtemps silencieuse, le regard perdu devant elle. Christina avait fermé son étui et rangé son cahier depuis un bon moment, quand Mme Jablonska parla enfin :

— Asseyez-vous, Christina. Qui vous a donné cette partition ? Est-ce qu'on joue maintenant quelque chose de ce genre à l'école de musique ?

— Non, madame, c'est un de mes camarades, André, qui m'a donné la musique. Il joue de la guitare et écrit des poésies. Ce soir, il y a une soirée à la Maison des Jeunes. Mon amie Basia lira quelques-unes des poésies d'André et nous jouerons ces variations.

— Il joue de la guitare, répéta Mme Jablonska en se passant les mains sur le visage.

Toute sérénité avait disparu de ses traits lorsqu'elle regarda Christina.

— Figurez-vous que je connais bien ces variations. Je les ai souvent jouées avec mon frère aîné Thadeuz. Il jouait de la guitare merveilleusement bien.

Elle attrapa une boîte métallique, l'ouvrit et la tendit à Christina.

— Servez-vous. Vous m'avez procuré une grande joie.

Christina prit un bonbon, savoureux et sucré.

— Pensez-vous que je puisse jouer cela ?

— Si le guitariste joue seulement à moitié aussi bien que vous, il est déjà un bon musicien.

— Il faut que je réussisse ! Ils m'ont fait tant de peine...

— Qui cela ?

— La direction de la Maison voulait d'autres morceaux plus patriotiques, car l'invité d'honneur est quelqu'un du parti. Mais André s'est entêté. Il veut cette musique-là ou rien du tout.

— Et pourquoi êtes-vous peinée ?

— Il ne s'agit pas seulement de la musique. Il s'agit aussi de moi. Il y en a d'autres qui jouent d'un instrument à la Maison des Jeunes.

— Et alors ?

— Un de ces imbéciles s'est disputé avec André et lui a demandé qui avait amené ici cette maudite Allemande. Il disait aussi que la soirée devait être nationale, polonaise.

Mme Jablonska, agacée, essuya machinalement la table.

— Je me demande vraiment si je vais jouer, fit Christina.

— Vous jouez bien. Ne vous laissez pas influencer par ce que disent les autres ! Votre musique parlera pour vous, la musique ne parle pas plus allemand que polonais. C'est la langue qui a sauvé les hommes de Babylone. Etes-vous capable de comprendre cela ?

Elle ne paraissait pas attendre de réponse. Brusquement, elle se leva. Christina prit congé d'elle.

— Grand-mère vous envoie son meilleur souvenir, dit-elle en s'en allant.

*
* *

Depuis que Mme Jablonska lui avait redonné du courage, Christina redoutait moins la soirée à la Maison des Jeunes. Les compliments qu'elle avait reçus lui donnaient l'audace de se montrer en public. Le fameux soir, elle s'assit donc à une table avec Basia, André, Janec, Jeanne et Stani. André avait apporté un pichet de cidre.

— Celui-là est meilleur, j'ai mis davantage de sucre.

La soirée commença bien. Un groupe folklorique venu de la grand-ville avait installé micros et amplis. L'orchestre des jeunes joua d'abord une marche rapide, puis le groupe folklorique dansa une Krakowia (1) sur l'estrade.

On avait d'abord craint que l'invité du parti ne lise un discours sans fin sur l'importance des forêts pour les républiques populaires. Heureusement, il n'en fut rien. Il projeta sur un écran quelques très belles diapositives, commenta plaisamment le travail volontaire et annonça que les jeunes de Skoronow étaient conviés à planter de nouveaux arbres. A voir ce petit homme voûté, portant une décoration sur la poitrine, on ne devinait vraiment pas qu'il avait été

---

(1) Krakowia (ou cracovienne) : danse polonaise vive et légère qui s'exécute par couple.

un redoutable partisan de 1939 à 1944 et qu'il vivait, à l'époque, caché dans les forêts. Son discours n'évoquait pas ses souvenirs de guerre. Tout ce qu'il disait était concret :

— Chaque époque réclame des gens courageux ; l'époque actuelle est différente de celle de la guerre. Mais aujourd'hui encore il faut du courage... pour planter des arbres, par exemple...

Le responsable de la Maison des Jeunes vint parler à son tour.

— Vous connaissez André Milba. André a écrit des poésies sur la persécution, les prisonniers, les fours crématoires. Basia va les réciter pendant qu'André et Christina joueront en sourdine.

A ce moment, un long sifflement s'éleva dans la salle.

— On n'a pas besoin des Allemands ici. Les Boches à la porte !

Christina se serait volontiers enfuie, mais, d'un bond, André fut au micro ; sa voix s'éleva, lente et calme :

— Nous connaissons tous Christina. C'est une bonne camarade et, de plus, elle joue bien de la flûte. Lorsque les Allemands sont arrivés ici, en 39, elle n'était pas née. Je trouve stupide de s'en prendre à elle.

Quelques jeunes applaudirent par dérision. Pourtant, le calme se rétablit peu à peu. Christina s'était avancée sur la scène à côté d'André ; ils commencèrent à jouer la première variation. Christina était très émue, mais son jeu était sûr et clair. La musique l'enveloppait tout entière d'un manteau protecteur.

Quand les dernières mesures retentirent, la salle resta un moment silencieuse, puis les applaudissements crépitèrent, mêlés à des coups de sifflet, en un vacarme assourdissant. Puis l'orchestre de la ville se mit à jouer ; on repoussa les tables. Les premiers couples s'élancèrent sur la piste.

Christina était heureuse d'avoir réussi à dominer sa peur, mais maintenant elle avait besoin de s'éloigner de tout ce bruit. Elle fit un signe aux autres et quitta la salle.

Stani la suivit en courant, mais Christina voulait être seule. Elle se dissimula dans le renfoncement d'une porte, jusqu'à ce que Stani ait disparu dans l'obscurité. Peut-être venait-il en ami ? Basia avait André, Clara, son étudiant. Les lèvres sont tellement douces, faites pour le baiser.

Elle parvint enfin chez elle. Grand-mère l'attendait.

— Eh bien, comment la soirée s'est-elle passée ?

— Très bien.

— Tu vois ! Ce serait vraiment dommage de devoir rougir ici d'avoir des parents allemands.

*
* *

Ils s'embarquèrent tous le samedi dans un vieil autocar, à la sortie de l'école : Service de l'Etat, collaboration des jeunes au Plan de développement.

Au petit matin, la campagne était blanchie par le givre. Cependant le soleil d'automne avait encore la force de chasser les cristaux blancs. Le chauffeur avait fourré dans le coffre pioches, bûches, paquets de couvertures et casse-croûte. Un animateur accueillit garçons et filles dans le car et leur parla des jeunes qui, avant eux, avaient déjà planté des milliers d'arbres. Il ajouta que des journalistes viendraient ensuite leur rendre visite pour écrire un rapport.

L'autocar se traîna sur de mauvaises routes qui sillonnaient la lande. Les paysans n'avaient pas la tâche facile avec cette terre ingrate ! Seuls les engrais artificiels permettaient d'obtenir de maigres récoltes.

Un peu avant midi, alors que l'autocar s'était engagé sur un chemin forestier cahoteux, ils s'arrêtèrent enfin au pied d'une colline.

— C'est ici, dit le chauffeur. Le forestier viendra vous rejoindre avec les plants. (Il ouvrit le coffre de l'autocar.) Prenez simplement vos outils. Vous devez passer la nuit dans une maison à deux kilomètres d'ici. Je vais y déposer vos affaires ; comme ça, vous n'aurez rien à traîner avec vous.

L'autocar rebroussa chemin. Garçons et filles s'assirent à côté de leurs outils, au bord du chemin. Ils attendirent. Mais on ne voyait ni plants, ni forestier à l'horizon !

Enfin, un cycliste parut sur le chemin.

— On ne vous attendait que pour trois heures ! leur dit-il en descendant de vélo. Mais vous n'aurez plus longtemps à attendre. La charrette avec les plants est déjà en route.

— Est-ce ici qu'il faut les planter ? demanda Basia. La terre est rudement pierreuse.

— Elle est moins dure que vous ne le pensez, répondit le forestier. Je vais vous montrer comment il faut s'y prendre. Le mieux, c'est de travailler par groupes de trois. Avec la pioche, l'un casse le dessus de la terre, le deuxième avec la bêche creuse un trou d'environ vingt-cinq centimètres, dans lequel le troisième enfonce le plant ! puis on tasse la terre à coups de talon. Vous voyez ?

Les jeunes se mirent en cercle autour de lui.

— Vous voulez bien nous montrer ? proposa Basia.

— Vous voulez un exemple ? dit le jeune ouvrier en riant.

Il prit la pioche d'André. En quatre coups, il avait ouvert le sol couvert de mousse et d'herbes, creusé la terre, placé le pin. Ses mouvements étaient précis et le tout ne lui prit pas plus d'une minute.

— Maintenant j'ai compris, dit Stani. Quand j'ai vu faire quelque chose, c'est beaucoup plus clair. Il vaut mieux regarder qu'écouter des explications.

La charrette que l'ouvrier avait annoncée arriva avec un gros chargement de jeunes plants de pins. Les chevaux ruisselaient de sueur.

Garçons et filles se mirent au travail avec ardeur. Christina fit équipe avec Janec et Stani. Janec avait rangé son sac avec précaution derrière un tronc d'arbre.

— Veux-tu nous dire ce qu'il y a dedans ?

— Une surprise, petite sœur !

Les garçons maniaient adroitement la pioche et la bêche. Christina enfonçait le plant dans le trou et tassait la terre autour. Saisir le plant, se courber, enfoncer, tasser la terre. Vingt fois, cinquante fois, cent fois. Ils avaient laissé les autres loin derrière eux.

— Nous allons établir un record ! déclara fièrement Stani.

Mais Christina eut bientôt mal au dos. Elle n'était pas habituée à un travail si dur. Les aiguilles de pin lui déchiraient les mains, la résine lui collait les doigts. Peu à peu, l'interminable ligne qui la séparait de la colline eut raison de son enthousiasme. Les garçons, pourtant, ne s'accordaient aucun répit. Des gouttes de sueur perlaient sur la figure de Janec.

— Si on attendait les autres ? proposa la jeune fille.

— Pas question ! répondit Stani. On n'attend pas. On va leur montrer...

— Qu'est-ce que tu veux leur montrer ? Que tu as des biceps ?

— Il veut dire que les autres nous l'ont fait trop souvent sentir.

— Qu'est-ce qu'ils vous ont fait sentir ?

— Ne fais donc pas la bête ! Ils nous ont fait sentir tout ce qu'ils savent. En histoire, surtout. La Pologne a été conquise, dévastée, partagée. Les Prussiens, les Autrichiens, le tsar, les Allemands sont passés ici. Et ils ont tous les dates en tête. En géologie, ils savent ce qui se passait sur la terre il y a cinq millions d'années. Ils parlent le russe mieux que nous. Quand ils ne veulent pas qu'on les comprenne, ils parlent à toute vitesse. Tu comprends ? Chaque fois, à la Maison des Jeunes, ils nous font voir que nous sommes des imbéciles. Cette fois, on va leur montrer quelque chose.

Christina soupira en acceptant son sort :

— Eh bien, montrez aux autres ce que vous voulez !

Stani vit qu'elle était fatiguée.

— Tu n'en peux plus, hein ?

Christina se mordit les lèvres et accepta de bon cœur qu'il l'aide pour tirer le faisceau de plants et pour tasser la terre. En fin d'après-midi, ils avaient atteint l'autre versant de la colline et ne pouvaient plus voir leurs camarades.

— Voici les derniers cinquante, dit Stani en jetant par terre le groupe de plants qu'ils portaient sur l'épaule. La voiture est vide. Il faudra attendre demain pour en avoir d'autres.

Ils furent récompensés de leur peine par le compliment que leur fit le jeune ouvrier forestier. Il ne voulait pas croire que le trio plantait des arbres pour la première fois.

— Quatre cents pieds, le premier jour, c'est vraiment bien !

Et André renchérit :

N'OUBLIE PAS, CHRISTINA...

— Bravo ! Vous avez travaillé comme une paire de bœufs !

— Voilà bien la ténacité allemande, fit quelqu'un dans leur dos.

Alors, ils sentirent leur joie s'envoler.

Ils montèrent dans la carriole et l'attelage partit au trot. Christina et Jeanne étaient serrées près du cocher. La voiture parvint bientôt au bâtiment gris qui devait les héberger pour la nuit.

Ils pénétrèrent dans l'immense hall. Les murs et le plafond étaient en bois. Le plancher, en pin usé, brillait. Une immense cheminée en brique rouge prenait presque toute la largeur de la pièce.

Le directeur les accueillit par ces mots :

— Vous êtes ici dans une belle Maison des Jeunes, vous le voyez. Cette maison ne restera belle que si vous la laissez dans l'état où vous l'avez trouvée.

Puis il expliqua :

— Le dortoir des filles est à droite. Celui des garçons, à gauche. La cuisine se trouve au milieu dans le bâtiment central. (Il regarda sévèrement les filles.) Il est interdit de fumer. Les dortoirs brûleraient facilement. Donc pas de bêtises, s'il vous plaît !

Ils portèrent leurs sacs dans les dortoirs.

— Ça flamberait facilement, c'est vrai ! ronchonna Basia en donnant des coups de pied dans la paille qui avait été répandue de chaque côté du passage central pour servir de paillasse.

— Heureusement que grand-mère m'a donné une épaisse couverture de laine ! dit Christina en ouvrant son sac.

Basia, toujours furieuse, grommela :

— Quelle écurie !

— Tu espérais peut-être un hôtel ? demanda Clara.

— Avez-vous demandé où est l'église la plus proche ?

— Tu dérailles ? fit Clara. Ici, il n'y a que des arbres, des arbustes et du sable.

— Alors, nous irons en autocar. Moi, en tout cas, je vais chaque dimanche à la messe.

Clara haussa les épaules :

— Que tu es bête ! Peut-être que ta mère te demande si tu y vas ?

— Elle peut bien me le demander. Et je me fiche de ce que tu penses. Moi, je vais à la messe le dimanche, un point c'est tout.

Quelques filles l'approuvèrent. D'autres furent d'avis qu'elle exagérait. Elles revinrent dans le hall. Un bon feu brûlait déjà dans la cheminée. Les jeunes s'assirent en demi-cercle autour du feu, en mangeant du pain et sirotant un café chaud et sucré.

Basia se balança sur sa chaise en soupirant : « Ça fait du bien. » Cependant, le repas ne l'avait pas rendue plus pacifique. Elle s'en prit à l'animateur :

— Comment fait-on pour aller à l'église demain ? Est-ce que l'autocar va nous y conduire ?

— L'église la plus proche est à huit kilomètres. C'est loin. Et l'autocar n'est prévu que demain après-midi pour le retour.

— Flûte alors ! protesta Basia. Et la messe est à huit heures. Il faudra se lever rudement tôt !

— Huit kilomètres ? C'est trop loin ! déclara Stani, exprimant le sentiment général.

Quant à Janec, son sac précieusement calé sur ses genoux, il annonça :

— Que ce soit huit kilomètres ou quatre-vingts mètres, le dimanche, pour moi, c'est fait pour dormir.

— Il faut que tu ailles à la messe, s'entêta Basia.

N'OUBLIE PAS, CHRISTINA...

— Assez, Basia ! « Il faut aller à la messe le dimanche, il faut que tu te fasses couper les cheveux, il faut que tu ailles à la soirée du parti, il faut que tu t'essuies les pieds, il faut, il faut... », j'en deviens fou. Ils te rabâchent les choses jusqu'à ce que tu sois comme eux-mêmes. Bon catholique. Membre de valeur du parti. Ouvrier capable. Père de famille méritant. Tous les uns comme les autres... Peut-être, mais pas moi.

— Je n'y vais pas parce que les autres y vont, mais parce que cela me plaît d'y aller, dit Basia.

— Eh bien, si ça te fait plaisir, vas-y donc !

— Ce n'est pas par plaisir. Ça n'a rien à voir avec le plaisir ou mon humeur du moment. C'est tout simplement une question de communauté d'esprit. J'appartiens à l'Eglise.

— Ecoutez-la un peu ! s'écria l'animateur.

Basia ne se laissa pas impressionner.

— Les catholiques se sont donné une loi : le dimanche, on va à l'église. C'est une question d'esprit communautaire.

— Qui a donné cette loi, petite sotte ?

— Ne m'appelle pas petite sotte, toi, crétin !

Les yeux de Basia brillaient d'une lueur batailleuse.

— C'est bon, c'est bon, ne t'énerve pas !

Et Janec tourna le dos à Basia.

— Bon, fit à son tour l'animateur. On reprend la plantation demain matin à neuf heures. Ceux qui veulent aller à la messe n'auront qu'à courir.

Janec s'entendait à attirer l'attention. Avec une lenteur calculée, il mit la main dans son sac et en sortit avec naturel un transistor gainé de noir, dont les chromes brillaient.

— Ça marche ? demanda Clara, méfiante.

Janec tira l'antenne et tourna le bouton. Une

musique jaillit brusquement, forte et claire, qui emplit la pièce.

— Mon vieux ! s'étonna André. En voilà un machin !

— C'est japonais, expliqua Janec. Il a seize transistors.

— Qui t'a donné ça ? demanda sa sœur.

— C'est papa qui me l'a envoyé pour mon anniversaire. Je peux même avoir Radio-Luxembourg et Baden-Baden.

Tous les jeunes s'étaient groupés autour de Janec. Basia était toujours furieuse contre les autres et elle-même parce qu'elle n'avait pas trouvé de meilleur argument pour défendre ce qui lui tenait tant à cœur.

Mais le son agréable du transistor chassa sa mauvaise humeur. Jeanne vint lui demander :

— Qu'est-ce que tu en dis ?

— Formidable ! On va pouvoir danser !

La proposition fut acceptée avec enthousiasme. On repoussa les chaises le long des murs. André s'avançait pour inviter Basia, mais Janec fut plus rapide.

— Voulez-vous m'accorder... ? commença-t-il avec une politesse exagérée.

Basia se leva et dansa avec lui. Il dansait fort bien, en se balançant au rythme de la musique.

— Tu es pourtant un as en maths ! la taquina-t-il.

— Assez. Si je voulais te le prouver, la foi ne me servirait à rien.

— D'accord, laissons ça. Je trouve quand même que tu es gentille.

Basia rit et fit un signe à André qui boudait près de la cheminée en jetant des brindilles dans le feu.

Ils dansèrent longtemps et s'assirent ensuite autour du feu pour bavarder. Personne n'avait envie

N'OUBLIE PAS, CHRISTINA...

d'aller se coucher dans les salles glaciales. Stani s'assit près de Christina.

— Que devient votre demande ?

— Ne m'en parle pas ! soupira-t-elle. Elle prendra sûrement le même chemin que les autres. Refus. Appel à Varsovie. Quarante zlotys, refus définitif. Nouvelle demande. Cent zlotys, encore une fois le même cirque. Ici, pour un certificat, quinze zlotys, là dix zlotys. Et l'argent file.

— Notre dossier aussi est en cours, dit Stani. Je serai heureux quand ça marchera enfin.

— Pourquoi ? C'est ici que tu as grandi. Et tu parles à peine allemand.

— Ma maison à moi, c'est là où je me plais. Je ferai des progrès en allemand. Mon cousin Ludwig m'a écrit : il va venir passer ici un mois avec sa voiture à lui. Tu comprends ?

— Qu'y a-t-il d'extraordinaire ?

— Avec sa voiture à lui, ma vieille ! Lui qui est tourneur dans une usine. Une fameuse voiture, je t'assure ! Il a fait des heures supplémentaires pour l'acheter : huit mille marks comptant.

— Et ça t'épate tellement ?

— Ecoute, réfléchis un peu. Ici, la Traban coûte à peu près quarante-cinq mille zlotys. Et je gagne mille zlotys par mois. Alors... Tandis que quand je serai là-bas je gagnerai beaucoup plus d'argent. Il ne me faudra sûrement pas longtemps pour avoir moi aussi une voiture. Exactement comme mon cousin.

Christina rit :

— Tu seras toujours le même, Stani ! Tu as trop d'imagination.

— Peut-être penseras-tu autrement quand je serai devenu quelqu'un.

N'OUBLIE PAS, CHRISTINA...

— Tu dis des bêtises, Stani. Ce n'est pas l'élégance qui m'intéresse !

— Est-ce que c'était une proposition ? demanda Stani en approchant sa chaise.

Christina rougit.

— Ne sois pas stupide ! Tu sais que je m'entends bien avec toi. Mais c'est tout.

— Attends un peu, tu verras. Quand j'ouvrirai la portière de ma Porsche en te disant : « Montez, mademoiselle », alors tu ne diras pas non.

— Ecoute, Stani, on est encore en Pologne. Et, à vrai dire, ça me convient très bien. Si mon père n'était pas là-bas, et si grand-mère n'en parlait pas constamment, je crois que je préférerais rester ici.

Basia fut la première à aller se coucher.

— Est-ce que je te réveille, Christina ?

— D'accord, par amitié.

Il n'y en eut que neuf pour se lever le lendemain, à six heures et demie, en claquant des dents. Il faisait encore nuit. Le givre avait de nouveau recouvert la terre et les arbres, et cette magnifique blancheur éclairait la nuit. Stani s'était levé d'un bond, sur la prière de Jeanne. André ne voulait pas laisser Basia partir seule. Janec s'était tourné de l'autre côté en maugréant :

— Bande de fous !

A mi-chemin, ils rencontrèrent un groupe d'hommes et de femmes vêtus de noir, le foulard serré sur la tête, qui se rendaient visiblement aussi à l'église.

— Bonjour, les enfants ! leur cria une femme. Il fait froid ce matin, hein ?

— Et comment ! répondit Jeanne. C'est encore loin ?

— Non, plus maintenant ; quand nous aurons

quitté la forêt, il n'y en aura plus que pour un petit quart d'heure.

L'église de brique rouge était pleine à craquer. Christina chanta les cantiques, pria avec les autres, mais comme si elle était portée par un flot puissant.

Le soleil parut lorsqu'ils sortirent sur la place de l'église. Ils se groupèrent pour bavarder. Bientôt le prêtre, homme rond et enjoué, d'une quarantaine d'années, sortit de la sacristie. Il salua les hommes et les femmes qui discutaient par petits groupes.

— Vous venez de la Maison des Jeunes ? leur demanda-t-il. Avez-vous déjà déjeuné ?

— Nous avons du pain dans nos sacs, répondit Basia.

— Eh bien, laissez-le dedans ! Je vous invite. Chaque dimanche, les sœurs nous préparent tant de bonnes choses que nous n'avons plus faim.

La maison des religieuses était au bout de la rue. La cuisinière prit un air pincé en voyant le prêtre arriver avec ses hôtes inattendus.

— Nous n'avons pas beaucoup de temps, dit Stani. Les autres vont commencer à planter des arbres.

— Votre voiture part à neuf heures et demie.

Le recteur les regarda d'un air complice.

— Mais nous sommes venus à pied ! s'étonna André.

— Juste. Et vous repartirez en voiture, jusqu'à la plantation, si vous le voulez. J'en ai parlé aux hommes. Ils sont venus en voiture et il y a encore de la place.

Ce fut un joyeux voyage dans le matin. La voiture du P.G.R. (1) était un tracteur attelé à une remorque

_____
(1) Coopérative agricole rurale.

plate, dans laquelle plus de vingt personnes pouvaient tenir à l'aise.

Ils atteignirent la plantation bien avant dix heures. Les autres commençaient à traîner les faisceaux de plants sur la colline. Ils n'interrompirent leur travail que pour une courte pause à midi. Lorsque le chauffeur du car vint les chercher en fin d'après-midi, il les félicita :

— Vous avez fait du bon travail.

— Je ne sens plus mon dos ! soupira Christina.

L'animateur leur exprima les remerciements de la République en un long discours qui donna l'occasion à la plupart des jeunes de faire une petite sieste.

*
* *

On dit que quand un Polonais est amoureux il en perd la raison. Bien sûr, Donatka n'était pas polonais, du moins pas à son avis. Il avait obstinément refusé chaque fois que l'Administration lui avait proposé la nationalité polonaise. Cependant, il avait sacrifié la raison à un amour tardif. C'est ce que disaient les voisins, sa famille et son fils Stani. Seule Jeanne, sa plus jeune fille, le défendait. Quoi qu'il en soit, sa nouvelle épouse, Véronique, avait vingt-huit ans quand il l'épousa ; c'était tout juste l'âge de ses nouveaux enfants. Elles se donna beaucoup de peine... Par égard pour son mari, elle réapprit l'allemand qu'elle avait oublié, mais qu'elle avait parlé, autrefois, quand elle était enfant. Elle avait été un de ces enfants « dont on se demande d'où ils viennent », comme le disait tante Yolande.

On avait trouvé Véronique dans les dernières semaines de la guerre, au bout du village. Elle ne savait dire distinctement que ces trois mots : « Je m'appelle Wroni. » Elle avait connu le même sort que beaucoup d'enfants, à l'époque, dont les parents avaient été arrêtés, déportés ou étaient morts. La famille Rilka avait adopté la petite Wroni et l'avait gardée, en plus de ses trois enfants.

En beaucoup de points, elle était tout le contraire de la première femme de Donatka, qui, paisible et calme, n'avait guère connu que le travail dans toute son existence. Elle avait vécu sans se faire remarquer et elle était morte de même. Un matin en se réveillant, Donatka l'avait trouvée froide et déjà raidie à côté de lui. « C'est le cœur qui a flanché », avait dit le médecin en haussant les épaules.

Six mois après, Donatka avait épousé Wroni et, sans doute parce qu'il croyait pouvoir échapper aux médisances des voisins, il s'était installé à Skoronow.

— Le vieux fou ! grommelait Stani, chaque fois que l'on parlait de son père.

— C'est ça l'amour, disait Jeanne.

Il y avait deux ans maintenant qu'ils étaient mariés et Donatka conduisait toujours sa femme au théâtre une fois par mois. Il lui rapportait des fleurs, quelquefois, en revenant du travail ; les moqueries de ses collègues de travail ne l'atteignaient pas Il s'était même interdit de fumer à la maison parce que Wroni ne supportait pas la fumée.

A ce sujet, justement, il avait eu une méchante querelle avec son fils. Depuis ses seize ans, Stani s'était mis à fumer à la maison ; son père le lui ayant défendu, il s'ensuivait des disputes. Un jour, la discussion avait été si violente que M. Donatka, hors de lui, avait giflé Stani. Cette gifle brûlait encore la joue du garçon ; depuis un mois, le père et le fils recommençaient à se parler, mais très peu : juste ce qui est indispensable quand on vit ensemble.

Une quinzaine de jours après Noël, Jeanne vint frapper un après-midi à la porte des Bienmann. Elle entra précipitamment dans la maison, sans même attendre qu'on lui dise « Entrez ».

— Pensez un peu, madame Bienmann, nous avons reçu ce matin l'autorisation de partir !

Christina, qui était en train d'étudier sa leçon de russe, sauta de son banc et prit Jeanne par les épaules :

— Oh ! Jeanne ! que ta famille doit être contente !

Grand-mère répéta machinalement :

— Que tu dois être contente, ma petite !

Mais sa voix était étrangement altérée.

— Etes-vous contents ? insista Christina.

— Papa, bien sûr, et Stani aussi. Il ne pense qu'à ça. Il croit qu'il aura bientôt une voiture.

— Et toi ?

— Vois dans quel état je suis ! Je suis émue, tout comme Wroni, d'ailleurs. Nous avons peur.

— Mais pourquoi donc ? demanda grand-mère, qui s'était ressaisie. Vous verrez que tout ira bien là-bas.

— A votre avis, madame Bienmann, est-ce que nous réussirons à bien parler l'allemand ? Et Wroni ?

— Bien sûr qu'elle y arrivera, petite ! Lorsque vous entendrez tout le monde parler allemand autour de vous, ce sera la meilleure école. Et d'abord tu le parles déjà.

— Nous verrons bien ! répondit Jeanne. Chez nous, tout est sens dessus dessous, mais j'ai voulu vous apprendre la nouvelle ; il y a si longtemps que vous attendez !

Et Jeanne s'éloigna bien vite.

— Les Donatka ont de la chance ! soupira grand-mère.

Elle se laissa tomber sur une chaise, devant la table, le regard fixé devant elle, puis elle se cacha le visage entre les bras. Le chien tournait autour d'elle ; il posa sa tête sur ses genoux, attendant vainement une caresse. Christina mit doucement ses mains autour du cou de sa grand-mère.

— Notre tour finira bien par arriver aussi, grand-mère.

La vieille dame se redressa.

— Il est temps, petite. Ça fait quatre ans que ta mère est seule. C'est une femme dans les plus belles années de sa vie. Il faut que nous partions d'ici.

« M. Jarosinski saura bien la consoler », pensa Christina. Grand-mère se leva pour prendre la photo de son fils sur la commode. Elle murmura :

— Il n'aurait pas dû partir ainsi. C'est un filou ! Il tient ça de son grand-père.

— Comment cela ? demanda Christina.

La vieille dame, qui avait surtout parlé pour elle seule, se tourna vers sa petite-fille.

— C'est une longue histoire, ma petite. Son grand-père partit un beau jour en Amérique, sans beaucoup s'inquiéter de ce qu'allait devenir sa femme. Cela se passait vers 1860. Cette manie de partir comme les gitans ! Les Bienmann ont ça dans la peau !

— Raconte un peu, grand-mère.

— Tu veux me changer les idées, hein ? (D'un seul coup, elle était redevenue la vieille dame maîtresse d'elle-même que Christina connaissait bien.) Je vais aller tout à l'heure chez les Donatka. Je leur demanderai comment ça s'est passé. Peut-être M. Donatka pourra-t-il me donner un conseil ?

— Est-ce que je peux venir avec toi ?

— Pourquoi pas ? Mais méfie-toi du jeune Stani. Il te regarde déjà, tu sais.

— Oh ! grand-mère, tu exagères !

*
* *

N'OUBLIE PAS, CHRISTINA...

Vers la fin de l'après-midi, grand-mère Bienmann se drapa dans son châle noir et Christina mit son manteau en relevant le col. La maison de la famille Donatka n'était pas loin. La neige gelée crissait sous leurs pas. Dès qu'elles ouvrirent la porte, elles entendirent un bruit de voix et une odeur de tabac les saisit à la gorge.

— On dirait qu'il y a du monde ! dit Christina.

Dans le couloir, on avait placé sous le robinet ouvert une provision de bouteilles de bière. Grand-mère poussa la porte de la cuisine. Elle fut accueillie par de joyeuses exclamations. Donatka l'interpella dès qu'il la vit :

— Je suis content que tu viennes me féliciter, grand-mère. N'est-ce pas un jour magnifique ?

Repoussant sa chaise, il remplit un verre de schnaps et le lui tendit.

— Je te souhaite un heureux voyage, dit-elle en prenant le verre.

Et elle le vida d'un trait. Donatka saisit la bouteille. Grand-mère voulut refuser, mais il lui cita le proverbe allemand : « Personne ne tient debout sur une seule jambe », en ajoutant :

— Mais nous fêtons surtout mes cinquante ans aujourd'hui. Il faut que tu arroses ça avec nous, grand-mère !

Grand-mère, un peu gênée, balbutia :

— Si j'avais su !

— Est-ce que tu ne serais pas venue ? protesta Donatka.

— Si, bien sûr ! Mais je t'aurais apporté quelque chose.

— Ça ne fait rien. J'ai reçu aujourd'hui mon plus beau cadeau : ce papier.

Et il brandit la lettre de la milice. Puis il fit asseoir

grand-mère près de lui, à table. Christina était restée près de la porte.

— Va donc rejoindre les jeunes, lui dit Véronique. Tu trouveras des connaissances dans la chambre.

Christina dut se frayer un chemin à travers la salle de séjour qui était pleine de collègues de travail et de voisins des Donatka. Dans la chambre, Véronique avait repoussé les lits contre le mur et fait une table avec des planches. L'arrivée de Christina fut saluée par des cris joyeux. Le visage rouge, Stani était entouré de Janec qui était encore en vêtements de travail, de Jeanne, Christian, Basia, André, et d'autres encore de leur classe. Il y avait aussi les plus jeunes enfants de la maison.

— Imagine-toi, lui cria Stani en secouant par les cheveux le garçon qui était à côté de lui, que je lui ai offert un zloty pour qu'il aille te chercher, mais il n'a pas voulu !

— Ça se comprend, Stani ! intervint Wroni qui venait d'entrer en portant un plat rempli d'œufs durs. Ce n'est pas tous les jours qu'on fait une fête pareille.

Elle sortit une salière de la poche de son tablier et posa le tout sur la table. Ses yeux étaient brillants, et ses cheveux frisés — qui étaient un peu décoiffés — entouraient son visage frais. Elle rit en montrant des dents saines et régulières.

« Je comprends que Donatka l'aime », se dit Christina.

— Buvez et mangez, les enfants ! dit Véronique gaiement, et elle redescendit.

Christina se fit une place entre Basia et Stani. La grosse Mme Waczlawski, qui habitait sous les combles, entra dans la chambre en trottinant.

— Ça va rudement bien, aujourd'hui, non ?

— Ce qu'il nous manque, c'est un morceau de

saucisse, dit Stani avec malice. (Il savait fort bien que la voisine était toujours largement pourvue en charcuterie et saucisses.)

— Je te vois venir, eh ! glouton ! Mais j'ai compris. Attends un peu ! Je vais t'apporter quelque chose.

Il ne lui fallut pas plus de cinq minutes pour revenir avec deux grosses saucisses salées.

— Allez, profitez-en ! Et vive Donatka, cette grosse tête ! cria-t-elle en levant un verre de bière.

Garçons et filles firent un ban pour Donatka et Mme Waczlawski. Puis Stani sortit son couteau et découpa les saucisses.

— Rudement bon ! approuva Janec.

— Tu ne parles pas mal, même la bouche pleine, se moqua Basia.

— C'est une question d'entraînement, mon cœur ! rétorqua-t-il.

— C'est moi qui serai là-bas le premier, dit Stani à Christina.

— Eh bien, tu pourras venir nous chercher avec ta Porsche quand nous arriverons.

— Une Porsche ! Et puis un nouveau transistor et un téléviseur à nous. Eh ! les gars, ce sera formidable !

— Tu bâtis des châteaux en Espagne !

— Je peux travailler, Christina ; regarde mes muscles. (Il retroussa sa manche, plia le bras en montrant son biceps.) C'est tellement dur qu'un couteau rebondirait dessus !

— Vantard ! lui lança Basia.

Stani prit son couteau — la lame était encore enduite de la graisse des saucisses — il la plaça cinq centimètres au-dessus de son biceps et lâcha son couteau. La légère éraflure ne parvint pas à lui enlever son sourire.

N'OUBLIE PAS, CHRISTINA...

— Ça vaut quelque chose ! déclara-t-il fièrement. Et dans le bâtiment on réclame partout des ouvriers.

— Tu te feras exploiter, là-bas, dit Basia.

— Oh ! je saurai me défendre !

Dans la salle de séjour, un accordéon commença à jouer, accompagné par des chants populaires polonais. Un vieil homme malingre annonça un numéro de marionnettes. Il fit entrer deux hommes et une femme qui se tenaient raides comme des poupées sans vie. Il leva leurs bras, tourna leur tête et fit des plaisanteries absurdes avant de se retirer sous les applaudissements.

Mme Waczlawski eut envie de chanter. Surprise ! Un puissant soprano se cachait sous la montagne de graisse, qui ne redoutait guère la concurrence de l'accordéon. La grosse dame chantait l'histoire d'un amoureux éploré ; les assistants reprirent le refrain en chœur et le chant se termina sur une note mélancolique.

Véronique parut à ce moment, des bouteilles dans chaque main. Elle interpella son mari.

— Donatka, tu devrais penser à vendre nos meubles !

M. Donatka trouva l'idée bonne et se dressa sur un banc. Tous les assistants se pressèrent dans la cuisine.

— Et d'abord, ce sofa en tissu rouge. Ressorts en parfait état. Il a été refait il y a trois ans. Qui fait une offre ?

— Cinq zlotys, fit une petite femme devant lui.

— Cinq zlotys ? Je deviens fou ! Cinq zlotys ! Pour ce prix vous pouvez avoir un coussin, ma bonne dame, mais pas le sofa tout entier !

— Dix zlotys, proposa l'homme qui était à côté.

— Tu es malade, Waclaw ! tu offres plus que ta femme ?

N'OUBLIE PAS, CHRISTINA...

Donatka hurla :

— Ne me ruinez pas ! Réfléchissez que le voyage à travers l'Allemagne de l'Est me coûte déjà cent vingt zlotys par personne !

Cependant, il vendit le sofa pour ce prix ridiculement bas. En moins de deux heures, il avait vendu le buffet de cuisine, la cuisinière, les gravures, la chambre à coucher, presque tout ce qu'il avait.

Stani était resté à l'écart. Chaque objet vendu lui rappelait sa mère.

— Et maintenant, ce carillon, qui vient de mon Irina, que Dieu la protège !

— Quinze zlotys ! dit quelqu'un.

A ce moment, Stani grimpa sur le banc à côté de son père.

— Il ne sortira pas d'ici ! cria-t-il. Ce carillon n'est pas à vendre.

— Ecoute, petit, ne fais pas l'imbécile. Que veux-tu qu'on en fasse ? Il faudra payer la douane si on le garde. Qui offre davantage ?

Et Donatka tourna le dos à son fils.

— Vingt-cinq zlotys.

— Trente-cinq.

— Cinquante.

— Bravo ! Cette pendule les vaut bien. Elle marche à la minute près depuis quatre-vingts ans.

Donatka vantait la marchandise auprès des acheteurs potentiels. Stani le prit par les épaules.

— Assez, papa ! Je ne veux pas qu'on vende le carillon de maman.

Donatka retira la main de son fils.

— Mon garçon, ici, c'est moi qui décide ce qu'on vend et ce qu'on ne vend pas. Tâche de t'en souvenir !

Sa voix était restée calme, mais le ton était coupant. D'un seul coup, la gaieté disparut de la pièce.

— Flanque-lui une raclée, à ce glouton ! dit la

grosse Mme Waczlawski d'une voix éraillée. Il m'a dévoré toute ma saucisse !

— J'offre soixante zlotys, dit un de ses collègues.

Mais Stani ne se tint pas pour battu :

— Maman avait dit que ce carillon me reviendrait un jour. Je ne me le laisserai pas voler.

Et il se dressa, décidé, devant son père.

— Laisse-lui le carillon, Donatka, intervint Wroni, qui saisit le bras de son mari pour essayer de le calmer.

Mais il se dégagea si brusquement que Wroni heurta rudement le mur.

— Descends de ce banc et file ! ordonna-t-il à son fils.

— Il n'en est pas question ! fit Stani qui, de nouveau, s'approcha de son père.

Personne n'avait remarqué la lourde patère que Donatka avait à portée de la main. La saisissant, il en frappa son fils de toutes ses forces sous le menton. Stani n'eut même pas le temps de lever les bras pour se défendre, il tomba lourdement sur le banc. Pendant que Véronique se penchait sur lui en pleurant et essayait de le relever, Donatka se tourna vers les acheteurs :

— Qui en a donné soixante zlotys ? (L'homme leva la main.) Tu peux prendre le caril...

— Espèce de porc ! Je t'en offre cent zlotys, lui lança grand-mère, glaciale, d'un ton plein de mépris.

— Cent zlotys ? demanda bêtement Donatka.

— Allez, donne-moi ce carillon !

— As-tu l'argent ? demanda-t-il avec méfiance.

Grand-mère arracha une page du calendrier sur le mur et écrivit au verso, en allemand : *Je paierai cent zlotys au porteur de la présente.* Puis elle signa. Donatka décrocha le carillon et le lui remit ; elle quitta la maison sans un mot, suivie de Christina.

N'OUBLIE PAS, CHRISTINA...

— Que feras-tu de cette horloge, grand-mère ?

— Tu diras à Stani qu'il peut venir la prendre chez moi.

— Et tout cet argent ?

— Avant de s'acheter une voiture, il me le remboursera, si c'est un garçon bien.

— Et comment ferons-nous ce mois-ci ?

— Que veux-tu que je te dise, ma petite ? Peut-être ta mère nous aidera-t-elle encore ? Elle a bon cœur.

Grand-mère chercha une place pour le carillon. Elle finit par enlever la grande photo de famille qui ornait le mur et mit l'horloge à la place. Elle remonta le mécanisme. Wolf regarda avec méfiance la boîte brune au tic-tac régulier. Comme grand-mère avait aussi remonté la sonnerie, le carillon sonna bientôt l'heure. Stupéfait, le chien fit un énorme bond en arrière, la queue entre les pattes, en jappant très fort.

— Paix ! lança grand-mère. L'horloge ne restera ici que quelques jours, puisque les Donatka vont partir.

Elle posa la clé dans le coffre du carillon, ferma la porte, puis resta un long moment à observer le va-et-vient régulier du balancier.

— Comme le temps passe vite ! soupira-t-elle. Les Donatka seront bientôt en Allemagne. Et nous ?

Christina se taisait. Elle était bien contente que l'autorisation de partir ne leur ait pas été accordée à eux-mêmes.

*
* *

Le lendemain, Christina était en cours de littérature, matière favorite de beaucoup d'élèves. Mme Zabinska voulait aborder le réalisme socialiste.

N'OUBLIE PAS, CHRISTINA...

Comme toujours, son cours, soigneusement préparé, était intéressant. Pourtant, les élèves n'écoutaient pas et Léocardia fit deux ou trois réponses stupides.

— Que se passe-t-il ? demanda sèchement Mme Zabinska.

Garçons et filles échangèrent un coup d'œil.

— Le sujet ne vous intéresse pas, Christian, André, Christina ?

Christian s'agita sur le banc, beaucoup trop petit pour lui.

— Excusez-nous, madame, mais nous avions une fête hier soir. Elle s'est terminée assez tard.

— Une fête ?

— Oui. La famille Donatka a obtenu l'autorisation de partir en Allemagne de l'Ouest. Et, en plus, M. Donatka fêtait hier ses cinquante ans.

— Jeanne ?

Jeanne se leva, très rouge. Qu'allait dire Mme Zabinska ?

— Il vaut mieux ne pas retenir les oiseaux migrateurs.

La phrase était ironique, mais le professeur ajouta :

— A vrai dire, je ne vous comprends pas ; cependant, je vous souhaite de tout cœur d'être heureuse, Jeanne.

— Merci, madame.

— Et je vous donne encore un conseil, à vous aussi, Christina, au cas où votre grand-mère vous emmènerait. N'oubliez pas le polonais. Je sais bien que vos parents sont d'un autre avis, mais sachez bien que nous avons besoin de gens capables de se comprendre. Plus ces gens-là seront nombreux, plus on aura de chance de parvenir à la fraternité.

Elle avait prononcé ces derniers mots en allemand.

N'OUBLIE PAS, CHRISTINA...

Elle repoussa de côté le cahier noir qui contenait ses préparations de classe.

— Je vais vous lire un passage de Gorki, mais faites un peu moins souvent la fête, je vous prie !

Quand Mme Zabinska faisait la lecture, Christina oubliait la classe et l'heure à l'écouter et elle n'était pas la seule. Quand la cloche sonna la fin du cours, ce ne fut pas l'effervescence habituelle.

— Elle est vraiment formidable ! dit Christian, qui avait un bout de chemin à faire avec Christina et Jeanne. S'il y en avait d'autres comme elle, j'aurais envie de devenir professeur.

A ce moment, Christina se rendit compte qu'il devait se passer quelque chose d'extraordinaire ; en effet, Wolf, qui avait couru à sa rencontre depuis le coin de la rue, repartit à toute allure vers la maison. Il se coucha par terre en frappant le sol de sa queue. Christina le rejoignit en courant aussi et ouvrit la porte, hors d'haleine. Grand-mère, Janec et sa mère étaient autour de la table. Grand-mère avait mis une nappe blanche et sorti la vaisselle précieuse.

— Est-ce que j'ai oublié un anniversaire ? demanda Christina, surprise. Qu'est-ce que vous faites ici ? Avez-vous congé, aujourd'hui ?

— C'est moi qui leur ai téléphoné de la poste, répondit grand-mère en se levant (l'émotion rougissait ses joues). Enfin, nous y sommes, j'ai reçu ce matin à dix heures la carte qui nous apporte l'autorisation de rentrer en Allemagne.

C'était donc ça !

Cet événement, que Christina avait toujours redouté, était là maintenant. L'impossible devenait *enfin* réalité.

Elle courut sans un mot dans sa chambre, tira le verrou et se jeta sur son lit en pleurant. Il lui fallut un long moment avant de pouvoir se calmer et se

98

traiter elle-même de sotte. Elle se lava le visage et revint à la cuisine. Les autres avaient terminé le repas depuis longtemps, la table était desservie.

— Ton assiette est dans le four, Christina, dit grand-mère.

La jeune fille se força à manger.

Rosa regarda la grand-mère.

— Comment allons-nous faire ? Qu'allons-nous emporter ? Que laissons-nous ici ?

— Voici ma malle, dit grand-mère. Pour moi, le problème sera vite résolu. Je vendrai les meubles. C'est le piano que je regretterai le plus.

— Le piano peut bien aller au diable ! lança Janec, et sa voix recelait une colère contenue.

— Pourquoi t'emporter ainsi ? demanda sa mère ; tu n'as plus besoin de jouer du piano, maintenant.

— Hélas ! (Grand-mère regarda sévèrement le garçon.) Tu avais pourtant l'étoffe d'un bon pianiste. Si seulement ta mère ne s'en était pas mêlée...

— J'aurais sûrement déjà démoli le piano ! dit Janec en riant.

Il souleva le couvercle et frappa quelques accords.

— Peut-être aurais-je aimé jouer, dit-il. Mais mon professeur a tout gâché. Tu sais, quand on me tape sur les doigts avec une règle, on n'obtient rien de moi !

— Tu as pris des leçons pendant deux ans, et tu n'en es pas mort.

— Je me suis vengé.

— Oui, oui, je sais. Tu as fait exprès de jouer faux. Pauvre professeur ! Avec toi, il lui était pénible de les gagner, ses vingt zlotys de l'heure ! Mais, tu verras, un jour tu regretteras de n'avoir pas écouté ta grand-mère. Savez-vous ce qu'il a fait, un jour ? dit-elle en se campant devant eux. Pendant la nuit, il a versé sur le piano un seau d'eau sale, ce petit satan !

— Je l'ai fait pendant que je rêvais, grand-mère. Même dans mes rêves, le piano me poursuivait !

La grand-mère continua :

— Toujours est-il que la voisine du dessous, Mme Aleksandrowicz, est venue se plaindre à six heures du matin. La peinture neuve de son plafond était maculée. Elle disait qu'une conduite d'eau avait dû céder au cours de la nuit. Une conduite d'eau ! Il a fallu que Christian aille chez elle pour repeindre le plafond.

— C'est du passé, grand-mère !

— Oui, c'est du passé, mais maintenant...

D'un seul coup, Janec retrouva son sérieux et son aplomb.

— Quand je serai là-bas, grand-mère, je ferai ce que je voudrai. Je travaillerai dans un atelier pour réparer des voitures et je gagnerai de l'argent. Cesse enfin de me traiter comme un bébé.

Sa grand-mère grommela quelques mots indistincts. Elle descendit à la cave et remonta peu après avec une bouteille pansue.

— Vous n'allez pas me croire, mais c'est une bouteille que j'ai conservée pendant des années en vue de ce jour. C'est de la liqueur de menthe.

Elle fixa sa belle-fille avec attention.

— De la liqueur de menthe ? Il y a combien de temps que je n'en ai pas fait ! s'étonna Rosa.

Elle essuya la poussière qui couvrait la bouteille, la déboucha et l'approcha de son nez pour en sentir l'odeur.

— En effet, dit-elle.

Grand-mère prit la bouteille à son tour pour en humer l'odeur.

— Je peux te dire exactement quand tu l'as préparée. C'était il y a six ans, pour la première communion de Janec. Ça sent bon, n'est-ce pas ?

Elle alla chercher quatre petits verres et les remplit.

La liqueur coula, onctueuse, avec de légers reflets verts.

— Tu sais vraiment faire une excellente liqueur, Rosa ! la félicita grand-mère.

La bouteille contenait bien trois ou quatre verres pour chacun et ils la vidèrent. Les vilaines idées noires de Christina s'envolèrent !

— Viens, dit-elle à sa mère ; nous allons faire de la musique.

— Je ne sais plus jouer, se défendit Rosa.

Elle s'assit cependant au piano, tandis que Christina sortait les partitions. Malgré le regard désapprobateur de grand-mère, Janec sortit son harmonica.

— Il y a longtemps qu'on n'a pas joué ensemble, constata-t-il.

— Et il faudra sûrement attendre encore longtemps avant de pouvoir recommencer ! ajouta Rosa.

*
* *

Ils quittèrent la Pologne un jour après les Donatka. Les jours précédents, M. Gronski avait déposé leurs caisses à la gare. On compara soigneusement chaque colis avec la liste, on calcula les droits de douane, mais il n'y avait que quelques zlotys à payer sur un vase de cristal dont la valeur dépassait un peu la limite permise. La mère de Christina s'était rendue à Varsovie pour obtenir l'autorisation du transit à travers la République démocratique allemande pour prendre son visa d'entrée en Allemagne fédérale et retenir leur place dans le train. Rosa eut la surprise de n'attendre que deux heures pour avoir son passeport. Elle dut payer la coquette somme de cinq mille zlotys par personne.

— Ah ! c'est vous la dame avec le gros chien et les photos qui étaient justes au dixième de millimètre ? déclara le préposé aux passeports en riant.

Apparemment, le courage de la grand-mère avait fait quelque bruit ici.

Il y avait déjà longtemps que le télégramme expédié par Rosa à son mari devait être arrivé :

Serons à Braunschweig le 16 février à 19 h 10. Maman, les enfants. Ta Rosa.

— Est-ce que ça ne suffit pas, si vous signez seule ? Ce sera moins cher, avait proposé l'employé de la poste.

Mais Rosa s'était obstinée.

— Mettez : *Maman, les enfants. Ta Rosa.*

— Tant que vous y êtes, pourquoi n'ajoutez-vous pas le chien ? avait alors lancé l'employé avec insolence.

Au début, ils étaient très énervés et s'interpellaient tous sans cesse : « N'avons-nous rien oublié ? Malles, valises, sacs, cartons ? Aurons-nous une bonne place dans le train ? Parviendrons-nous à prendre le rapide Varsovie-Poznan ? Que va-t-il se passer à la frontière ? »

Leur train avait presque atteint Bydgoszcz quand ils trouvèrent enfin un compartiment presque vide où ils déposèrent leurs bagages. Wolf avait été intenable pendant le premier voyage à Varsovie. Cette fois-ci, il se conduisit comme un habitué du chemin de fer. Il se coucha près du chauffage, n'ouvrant un œil que lorsque le train s'arrêtait quelque part. A chaque gare, grand-mère indiquait l'ancien nom allemand de la ville. « Voici Bromberg. Nous

arrivons à Hohensalza, à Gnesen. Nous serons bientôt à Posen. » Mais sur les murs des gares la peinture
des nouveaux noms polonais commençait à s'écailler, car il y avait déjà longtemps que Bydgoszcz,
Inowroclaw, Gniezno et Poznan avaient remplacé
les noms allemands. Lorsqu'un jeune homme eut
l'idée importune de vouloir discuter avec elle sur
ces noms « hitlériens », elle fut assez prudente pour
lui répondre :

— Voyez-vous, jeune homme, c'est le monde qui
change. Quand je suis née, notre maison était à
Konitz et ma petite-fille, elle, ne connaît que
Chojnice...

— Et c'est là qu'on en restera, déclara le jeune
homme. Nous avons un traité, le pacte de Varsovie.
Les agresseurs feront bien de prendre garde !

— Bien sûr, jeune homme, le calma la grand-
mère. Et puis, je suis maintenant une vieille femme.
Que voulez-vous que ça me fasse ?

— Comment votre famille est-elle venue en Pologne ?

— C'est une histoire ancienne. Ça ne pouvait que
mal finir, s'il y a vraiment une justice.

— Vous êtes venus du temps d'Hitler ?

Grand-mère se mit à rire.

— Du temps d'Hitler ? Non, non. Je vous ai dit
que je suis née ici. C'est mon grand-père qui est
venu en 1887 dans la région de Konitz. Il avait
acquis une ferme que vendait un Polonais. Elle
réfléchit un instant puis se corrigea : Non, ce n'est
pas ça. Le Polonais n'a pas vendu sa ferme. C'est
Bismark qui avait chassé quelque trente mille Polonais. Il les avait indemnisés largement, mais ils
devaient abandonner leur maison et leur pays, dans
lequel ils vivaient depuis des générations.

— On n'achète pas tout avec de l'argent.

— C'est vrai, et cette affaire n'était pas juste. Mon grand-père s'en doutait. Il a voulu que ses deux fils apprennent un métier. Aucun des deux n'est resté à la ferme.

— Vous étiez donc originaires du pays ? Des nationaux. Comment avez-vous obtenu l'autorisation de partir ?

— Eh bien, jeune homme, parce que je sais ce qu'est une loi. Je suis allemande et l'ai dit, écrit et même télégraphié, à chaque fois qu'on a voulu faire de moi une Polonaise. Je me suis même adressée à Varsovie.

— Comprenne qui pourra ! dit le jeune homme. Moi, je n'y comprends rien. Et toi ? demanda-t-il en se tournant vers Janec.

Celui-ci haussa les épaules.

— Ça me fait quelque chose, mais mon père est de l'autre côté, alors on le rejoint.

— Et pourtant, puisque vous êtes polonais, vous devriez comprendre cela, reprit grand-mère. Revenons à Bismark. Il a interdit de parler le polonais. Les gosses devaient aller à l'école à six ans. Ils ne savaient pas un mot d'allemand et l'instituteur ne devait pas employer le polonais. Dans les bureaux, on ne parlait qu'allemand, les employés polonais étaient dispersés, encadrés par des Allemands et ils devaient servir deux ans sous l'étendard de l'empereur. Par exemple, lorsqu'en 1864 les Prussiens attaquèrent les Danois au fort de Düppel, qui donc emporta les fortifications ? Le 18e régiment, qui était uniquement polonais ; ils travaillèrent pour le roi de Prusse.

— La Pologne est restée polonaise, dit fièrement le jeune homme.

— C'est bien ce qu'a déclaré le député Janiszewski, du Comité national de Posen, à l'Assemblée nationale de Francfort : « Vous avez réussi à avaler la Pologne, mais, par Dieu, vous ne la digérerez pas ! »

Grand-mère regardait fixement le jeune homme. Il lui dit :

— On voit que vous connaissez l'histoire. Mais pourquoi parlez-vous du passé ?

— Je voudrais seulement vous dire que vous devriez comprendre cela, en tant que Polonais. La Pologne reste polonaise, entendu ! Mais l'Allemagne reste allemande !

— Bien sûr !

— Qu'est-ce que cela fait ? intervint Christina. Pensons un peu à l'Amérique du Sud, ou aux U.S.A. D'où viennent-ils, tous ces gens qui sont aujourd'hui de bons Américains ? De Pologne, d'Italie, d'Irlande. Est-ce que ces gens-là ne vont pas dire aussi que l'Amérique reste américaine ?

La conversation s'arrêta là. Christina suivait la progression du train sur la carte. Depuis le long voyage qu'elle avait fait pour assister à l'enterrement de l'oncle Victor à Varsovie, Christina n'avait pas repris le train.

— Nous arrivons à Poznan.

— Posen, dit grand-mère.

— Poznan, insista le jeune homme.

— Je veux bien, céda grand-mère.

Le voyage se poursuivit, monotone. Le train s'arrêta une demi-heure à la frontière germano-polonaise. Le contrôle se passa sans difficulté. Les passeports étaient en règle. Mais les douaniers examinèrent la flûte.

— Joues-tu toi-même ?

— Mais oui, pourquoi ?

— L'exportation des instruments anciens est soumise à des droits de douane.

— Même si c'est ma propre flûte ?

105

— Non, pas dans ce cas.

Le douanier se tourna vers son collègue.

— Qu'en penses-tu ?

— Fais-la jouer, tu verras bien.

— Eh bien, fais-nous voir ce dont tu es capable.

— Ici ?

— Où veux-tu aller ? On ne peut pas t'offrir une salle de concert !

Christina assembla les parties de sa flûte, s'humecta les lèvres et joua le premier morceau qui lui vint à l'esprit.

— Tiens ! C'est *la Flûte enchantée*, dit le douanier.

Il lui fit un signe amical et s'éloigna sans autre question, en sifflotant la suite de l'air commencé par Christina.

Ensuite, le voyage fut interminable. En Allemagne orientale, il y eut de nombreux contrôles : bagages, passeports, tout fut vérifié avec soin.

— Je m'étais fait une autre idée de ma première rencontre avec des Allemands en Allemagne ! soupira grand-mère.

Tous finirent par s'endormir, sauf Christina. Elle déplia la vieille carte. Elle regarda le chemin qu'ils avaient encore à parcourir : Braunschweig, Friedland, la Ruhr, où elle retrouverait son père...

*
* *

— Braunschweig, gare centrale !

Enfin ! Le haut-parleur annonçait la fin du voyage.

Janec descendit le premier et Christina lui passa les valises. Deux employées de la Croix-Rouge les aperçurent et se hâtèrent de les aider. Grand-mère partit le long du quai et revint sans son fils.

— Est-ce que quelqu'un vous attend ? demanda

l'une des employées de la Croix-Rouge, une femme corpulente, aux cheveux gris.

— Oui, mon père devrait être là, dit Janec.

Le flot des voyageurs s'écoula et le quai fut bientôt désert.

— Il n'est pas là, constata grand-mère.

— Il lui est sûrement arrivé quelque chose ! se lamenta Rosa en s'asseyant sur les valises.

— Nous sommes de la Croix-Rouge, Mlle Erna et moi-même, Brigitte. Nous allons vous conduire à Friedland. Apparemment, vous êtes la seule famille d'émigrants dans ce train.

— Mais nous ne pouvons pas partir ! protesta Rosa. Mon mari va sûrement venir.

— Comment vous appelez-vous ?

— Bienmann, répondit Christina.

— Nous ne pouvons pas attendre ici, madame Bienmann, votre mari doit savoir qu'il faut, de toute façon, passer par Friedland. Il viendra vous rejoindre là-bas. D'ailleurs, ce n'est pas loin d'ici.

— Vous croyez ? demanda Rosa, effondrée.

— Il se peut que l'autoroute soit encombrée ou qu'il y ait du verglas, les consola Mlle Erna. Il vient en voiture ?

— Oui, je crois, dit Rosa en essuyant une larme et en se levant.

— L'autobus se trouve sur la place devant la gare, dit Mlle Brigitte en se chargeant des valises.

Les Bienmann regardaient, fascinés, autour d'eux. Les réclames lumineuses brillaient, les phares des voitures les éclaboussaient, les autobus passaient en grondant. Des jeunes gens en blouson de cuir chevauchaient de grosses motos et faisaient ronfler leur moteur. Sur la place de la gare, de nombreuses personnes étaient réunies en petits groupes et se parlaient avec animation. Christina ne comprenait pas un seul mot de ce qu'elles disaient. Elle avait toujours cru qu'elle parlait couramment l'allemand. Apparemment, ce n'était pas si facile !

— Ce sont des étrangers, expliqua Mlle Brigitte. Des Turcs, des Espagnols, des Grecs. Ils travaillent ici.

— Ouf ! Dieu merci ! soupira Christina.

— Que vous arrive-t-il ? demanda la dame de la Croix-Rouge, surprise.

— Comme je ne comprenais rien, je croyais déjà que mon allemand n'était pas suffisant.

Mlle Brigitte se mit à rire de bon cœur, ce qui arrondit encore son visage.

— Vous parlez un très bon allemand, mademoiselle Bienmann. Quant à l'accent, vous le perdrez petit à petit.

Le bruit de la circulation, les lumières, la foule, tout cela intimidait Wolf. Il se serrait contre Christina et, pour la première fois, semblait supporter la laisse. Ils atteignirent enfin l'autocar.

— Il n'y a personne d'autre, aujourd'hui ? s'étonna le chauffeur en ôtant sa casquette pour saluer les arrivants.

— Non, c'est tout.

— Il n'y avait vraiment pas grand monde, cette semaine !

Il regarda les bagages.

— On va les mettre dans le car. Ça ne vaut pas la peine d'ouvrir le coffre pour si peu.

Il replia un siège et commença à monter les paquets. Janec voulut l'aider.

— Pas la peine, jeune homme. Est-ce que vous me comprenez ?

— Je vous comprends bien. Grand-mère a pris soin que nous n'oubliions pas l'allemand.

— Elle a bien raison. Si on ne sait pas l'allemand,

on est perdu d'avance, ici ! Comme eux, là-bas, fit-il en montrant le groupe d'étrangers sur la place.

Ils partirent. L'air était humide. La route avait été dégagée et la neige formait une haie sale de chaque côté.

— Il va encore neiger, prophétisa le chauffeur en levant le nez, je le sens.

L'autocar atteignit Friedland. Une église, des bâtiments sans étage, tout en longueur, couverts de tuiles, portant de gros numéros.

A leur descente de car, ils furent accueillis par les Donatka. Véronique embrassa grand-mère et la salua en polonais. Jeanne et Stani parlèrent aussitôt à Christina. On porta les bagages dans un bâtiment.

— Vous voulez bien les installer dans la chambre à côté de la nôtre ? demanda Jeanne.

Mlle Erna y consentit.

Un homme déjà âgé entra à ce moment. Il portait une blouse blanche et un amusant chapeau de chasseur. Il se présenta :

— Jardin, de la Caritas. Est-ce qu'une famille *Bienmann* est arrivée aujourd'hui ?

— Oui, c'est nous, répondit Janec.

— Prima ! s'exclama M. Jardin. Votre père ou votre frère, que sais-je, est en train de nous faire perdre la tête ! Il est resté plusieurs heures hier et il nous a déjà téléphoné six fois aujourd'hui.

— Où est-il ? demanda grand-mère.

— Quand il a vu que vous n'étiez pas dans le dernier train hier, il est reparti pour la Ruhr. Il n'en pouvait plus !

— Comment ça hier ? Nous lui avions pourtant télégraphié que nous arrivions aujourd'hui.

— Je n'en sais rien. (M. Jardin enleva son chapeau et prit un billet qui était caché dans la bande intérieure.) Voici son numéro de téléphone. Allons

109

à la maison de la Caritas, c'est juste en face. Vous pourrez lui téléphoner.

— Comment se fait-il que nous n'ayons pas vu Christian Bienmann hier ? s'étonna M. Donatka.

— Le camp est grand, répondit M. Jardin. On peut très bien y être au même moment sans se rencontrer.

Les Donatka accompagnèrent les Bienmann à la maison de la Caritas.

— Voilà le téléphone, dit M. Jardin.

Rosa prit le combiné ; ses doigts tremblaient. Après une longue attente, elle obtint enfin son mari.

— Oui, Christian.

— ...

— Comment cela ? J'avais pourtant télégraphié que nous arrivions le 16.

— ...

— Entendu, Christian.

— ...

— Oui, nous allons tous bien.

— ...

— A demain, Christian.

Elle reposa le combiné et se laissa tomber sur une chaise.

— Le télégramme portait la date du 15 février !

— Ah ! je me doutais bien qu'il y avait une erreur, dit M. Jardin.

— Et maintenant, dit grand-mère, quand vient-il ?

— Il sera là demain, de bonne heure, répondit Rosa.

— Il n'y a plus rien à faire aujourd'hui, dit M. Jardin.

— Allez à la cantine, dit Mlle Brigitte, vous avez besoin de vous restaurer. Ensuite, il vaut mieux que vous vous reposiez. Le petit déjeuner, demain, sera servi entre six et huit heures...

110

N'OUBLIE PAS, CHRISTINA...

Christina n'en pouvait plus ! Et pourtant, impossible de trouver le sommeil ! Dans la pièce, il y avait quatre lits gigognes et ils s'étaient tous couchés sur le lit du bas. Il y avait longtemps que les autres dormaient profondément.

Christina se leva avec précaution et se dirigea vers la fenêtre. A travers la vitre, on voyait la neige tomber en gros flocons. Devant l'église se dressait une haute statue représentant un soldat en haillons, au visage émacié. La neige fraîche recouvrait la tête et la nuque du soldat, qui paraissait presque vivant. Christina sursauta. Grand-mère était venue la rejoindre sans bruit et lui posait son bras autour de ses épaules. Elle regardait les gros flocons épais qui tombaient sur le sol.

— Il y aura bientôt trente ans que la guerre est finie, petite, trente longues années, et nous venons seulement de rentrer chez nous.

Ses doigts agrippèrent le montant de la fenêtre et elle appuya son visage contre la vitre, comme si elle voulait se persuader qu'elle était vraiment « à la maison ».

Le chauffeur de l'autocar avait eu raison. Le lendemain matin, il était tombé plus de vingt centimètres de neige et le thermomètre indiquait deux degrés au-dessous de zéro.

— Vous allez devoir attendre votre mari, dit M. Jardin qui traversait la salle à manger pour s'approcher d'eux. Avec ce temps, il ne pourra pas rouler vite.

Il vit combien Rosa était déçue et il essaya de la consoler :

— Il vaut mieux arriver plus tard que d'avoir un accident ! Vous irez au pavillon n° 3 ; on vous y donnera une fiche sur laquelle seront indiquées toutes les démarches que vous aurez à faire.

La journée passa vite. D'abord une visite médicale. Ensuite, les inscriptions, l'enquête de la Croix-Rouge et la première consultation d'orientation professionnelle.

Il était onze heures et Christina avait à peine vu les cinq premiers bureaux sur les quatorze que comportait sa fiche. Elle voulut souffler un peu et promener Wolf à travers le camp. Comme ni elle ni grand-mère ne voulait fermer les portes, le chien était resté attaché à sa laisse dans la chambre. Dès qu'elle entra, le chien jappa, sauta autour d'elle, essayant de lui lécher le visage.

C'est alors qu'apparut, à l'autre bout du couloir, un homme élancé. Un bonnet de fourrure enfoncé jusqu'au front lui couvrait la tête. Depuis le voyage, Wolf était resté remarquablement calme, restant toujours près de grand-mère ou de Christina et faisant un détour prudent pour éviter les étrangers. Il évitait même le bon M. Jardin, qui avait essayé plusieurs fois de jouer avec lui. A la surprise de Christina, le chien aboya dès qu'il vit l'homme : un aboiement strident, entrecoupé de gémissements. Christina ne l'avait encore jamais entendu aboyer ainsi, et elle devait tenir solidement la laisse parce que Wolf essayait de bondir vers l'homme.

L'inconnu s'adressa à Christina :

— Est-ce que des nouveaux sont arrivés hier ?

Christina regarda la grosse serviette de cuir que l'homme tenait à la main.

— Nous sommes arrivés hier, répondit-elle, mais les Bienmann n'achètent rien aux représentants. (M. Jardin leur avait dit, la veille, de se méfier.)

— Bienmann ? Christina ! ma petite ! — et l'homme laissa tomber sa serviette sur le sol.

Pendant une fraction de seconde, Christina demeura paralysée. Cette ride qui partait depuis le nez jusqu'au front...

— Papa ! cria-t-elle en se jetant dans ses bras.

Wolf sautait autour d'eux en aboyant joyeusement.

— C'est lui qui t'a reconnu le premier. Et dire que je te prenais pour un représentant !

*
* *

Avec M. Bienmann, tout alla plus vite ; il savait s'y prendre. Ils allèrent d'abord avec Janec au bureau de la Caritas pour retirer les vêtements qu'on leur donnait : un costume, une chemise, du linge. Janec paraissait fort élégant dans ses nouveaux habits.

Ce fut nettement plus compliqué avec les dames, qui recevaient leurs vêtements de l'Œuvre évangélique. Grand-mère trouva une robe qui lui plaisait. Mais pour Rosa ce fut une autre affaire. Elle ne se décida que lorsque son mari lui déclara qu'elle paraissait aussi jeune qu'il y avait quatre ans dans cette robe verte avec un liséré rouge.

Mais M. Bienmann apportait aussi de moins bonnes nouvelles : il n'avait pas trouvé de logement plus vaste. Dans le nouveau quartier de la ville, il aurait pu louer un quatre ou même un cinq-pièces, mais cela lui aurait pris plus d'un tiers de sa paie.

M. Jardin fut mis au courant et trouva une solution :

— De toute façon, il faut que vous vous rendiez à Unna-Massen pour les papiers. On orientera votre fille pour qu'elle continue ses études. Au début, seule votre épouse vous accompagnera. La grand-mère restera quelque temps avec les enfants dans le foyer de transit.

Cette solution n'enchantait vraiment pas grand-mère. Mais M. Jardin déclara que la plupart des gens passaient d'abord par un foyer de transit. On verrait bien ensuite.

*
* *

Deux jours après, ils avaient vu tous les bureaux de Friedland. Les Donatka étaient partis de bon matin par le train. La famille Bienmann les suivit de peu en voiture. Le coffre à bagages de la Ford de M. Bienmann ne suffisait pas — il s'en fallait de beaucoup — à recevoir tous les paquets. Il fallut charger aussi la galerie du toit. Rosa s'installa devant, à côté de son mari.

— Vous n'aurez pas de mal à tenir tous les trois à l'arrière, dit M. Bienmann. Christina est maigre comme un clou !

Par contre, on eut quelque peine à caser Wolf sur la tablette près de la lunette arrière. Ils roulèrent lentement à travers les allées du camp, passèrent le large portail, devant l'église puis devant le bureau de la Caritas, en direction de l'autoroute. M. Jardin était devant sa porte et il leur fit un signe amical. Janec était enthousiasmé.

— Est-ce que ta voiture fait plus de cent à l'heure ?

— Bien sûr ! Mais la galerie ne doit pas être chargée.

— Tu vas déjà trop vite pour moi ! dit Rosa.

*
* *

Ils arrivèrent à Unna-Massen un peu avant midi. Depuis qu'ils étaient allés à Friedland, ils savaient comment se passaient les choses : inscription,

114

bureau d'aide sociale, attribution d'une chambre. Le lendemain, bureau d'accueil, bureau des pensions pour grand-mère, bureau du travail. Contre un reçu, on leur remit des couvertures, des ustensiles de cuisine, de la vaisselle.

Avec un M. Schulz, ils envisagèrent la situation de Janec et de Christina. Il était d'avis que Janec devrait passer, autant que possible, un certificat de fin de scolarité. Mais le garçon ne voulut absolument rien entendre.

— J'ai déjà un certificat, s'il vous plaît. Regardez. Je suis électricien. Je n'ai pas besoin de retourner à l'école.

Son père essaya de le raisonner, mais Janec s'obstina. A part un « Je ne veux pas y aller », on ne put obtenir un mot de lui.

— Il ne devrait pas être très difficile de lui trouver une place d'électricien, dit M. Schulz.

Finalement, M. Bienmann décida :

— On va le prendre avec nous ; il couchera dans la cuisine en attendant que nous ayons un logement plus spacieux.

M. Schulz approuva. Le père ajouta :

— Je préférerais partir tout de suite.

— Chaque chose en son temps, répondit M. Schulz. La plupart des gens, ici, restent de six à huit semaines avec nous et parfois davantage lorsqu'ils doivent suivre un cours d'allemand, de métallurgie ou lorsqu'ils apprennent à s'occuper du bétail dans les fermes.

— Je n'ai pas beaucoup de temps, dit M. Bienmann.

— Il est sûrement possible que vous emmeniez avec vous votre femme et Janec. Vous devrez alors simplement revenir ici, de temps en temps, avec eux

115

N'OUBLIE PAS, CHRISTINA...

afin de tout régler : assurances, papiers d'identité, allocations, par exemple.

— Et que deviennent la grand-mère et Christina ? dit Rosa.

— Je vous conseille de les laisser habiter ici à Massen, dit M. Schulz. Nous réglerons tout d'ici, avec la mairie de votre ville, monsieur Bienmann. Votre mère et votre fille iront dans un foyer de transit en attendant que votre problème de logement soit résolu.

— Est-ce que je pourrai garder mon chien ? demanda Christina.

— Mais bien sûr.

Les choses en restèrent là. Il fallut quitter la grande chambre qui leur avait d'abord été attribuée. M. Bienmann et Janec portèrent les bagages dans une pièce plus petite. Quatre familles se partageaient la cuisine.

— Pas de cuisine aujourd'hui ! dit M. Bienmann ; je vous invite à déjeuner dans un supermarché de Dortmund.

M. Bienmann se dirigeait avec assurance à travers la foule. Rosa s'était accrochée à son bras et ne le quittait pas. Christina eut l'impression que sa mère paraissait plus jeune ; elle était gaie et détendue. Elle semblait avoir oublié les soucis des quatre dernières années et ses interrogations sur la fuite soudaine de son mari. Oublié aussi M. Jarosinski ?

— Tout va recommencer comme avant, dit-elle spontanément.

— Que veux-tu dire ? demanda Janec.

— Tout sera aussi beau qu'avant. Et même beaucoup plus beau.

Elle riait et son mari la tint serrée contre lui. Christina fut stupéfaite en voyant les comptoirs et les étalages dans le magasin. Ils regorgeaient de denrées du monde entier. Il y avait des montagnes d'oranges, d'ananas, de pommes, de poires — des poires en plein hiver ! — et il y avait des tissus, des vêtements, des pull-overs, du linge. Et tous ces gens qui cherchaient, essayaient, achetaient...

Elle était complètement abasourdie quand son père trouva enfin une table libre, au dernier étage.

— Les gens peuvent vraiment tout acheter ? lui demanda-t-elle.

— Bien sûr ! Tu t'y habitueras ; on s'habitue vite aux bonnes choses.

— Et quels sont les inconvénients de ce pays des Merveilles ? interrogea grand-mère.

— Les logements sont trop chers, la voiture aussi. Les téléviseurs sont chers. Si tu veux tout avoir, le salaire du mari ne suffit pas. Et presque tous veulent une voiture, un téléviseur, une machine à laver la vaisselle. C'est pourquoi les femmes travaillent, c'est pourquoi on voit ici beaucoup moins d'enfants qu'à Skoronow.

Il remarqua combien Rosa et Christina le regardaient d'un air inquiet. Il leur adressa un sourire confiant.

— Réjouissez-vous d'être ici ! Nous sommes enfin ensemble. On y arrivera bien.

Et il commanda un bon repas avec, comme dessert, de la glace recouverte de crème Chantilly. Comme l'addition dépassait cinquante marks, grand-mère proposa :

— C'est beaucoup trop pour toi. J'ai reçu cent cinquante marks d'allocation d'accueil. Je paie mon repas moi-même.

M. Bienmann se mit à rire :

— Tu perdras tes cent cinquante marks aussi vite que tu les as reçus, maman !

Ils restèrent assis encore un bon moment.

— Quatre ans ! Un jeune homme est sorti du garçon d'autrefois, dit pensivement M. Bienmann en regardant Janec.

— C'est un imbécile ! dit grand-mère. Dieu sait pourquoi il ne veut pas aller à l'école.

Janec ricana.

— Je peux facilement te l'expliquer. Dès le premier jour, j'en avais assez de l'école !

— Tu avais pourtant une bonne institutrice.

— Mlle Kolacki était peut-être une bonne institutrice pour les autres. Mais elle m'a pris en grippe, dès la première heure de cours. Nous devions chercher des mots comportant des *i*. Comme personne n'en trouvait un seul, je me suis levé : « Idiot », ai-je dit. Toute la classe a ri très fort. Mais, elle, elle m'a obligé à m'asseoir tout seul au premier rang, juste devant son bureau. Elle n'avait même pas besoin de se lever pour me donner un coup de règle sur la tête. Je l'entends encore : « Tiens-toi comme il faut, Janec. Regarde devant toi ! Reste assis sans bouger ! » J'en arrive à croire que l'école est faite uniquement pour empêcher les enfants de bouger. Un bon élève, c'est un enfant qui ne bouge pas !

— Tu exagères, comme toujours, lui dit sa mère. Si tous les enfants disaient la même chose, les écoles seraient vides.

— Tu n'as pas encore entendu l'essentiel. Quinze jours plus tard, Mlle Kolacki avait mis des bas en nylon très fin, tu vois, les mêmes bas qu'on porte ici. Ils étaient de couleur chair ; à l'époque, cela faisait sensation, sur les hommes du moins. A moi, ils ne faisaient pas grand effet, bien que la demoiselle soit assise juste devant moi et que ses souliers soient sur mon banc.

» Ce jour-là, Mlle Kolacki racontait quelque chose

dont je ne me souviens plus, mais c'était intéressant. Du moins, jusqu'à ce que je m'aperçoive qu'une maille de son bas avait cédé et qu'une raie blanche sortait, millimètre par millimètre, de sa chaussure et qu'elle s'élevait par à-coups, de plus en plus haut. Ensuite, la raie dépassa la cheville et atteignit l'arrondi remarquable de son mollet.

» Je n'avais encore jamais vu de bas de nylon de près, et à plus forte raison une maille se défaire. Il y a longtemps que je n'écoutais plus l'histoire ; je suivais, avec la plus grande concentration, minute par minute, le trajet de la raie blanche qui montait de plus en plus haut. Elle finit par disparaître sous l'ourlet de la robe. Jusqu'où pouvait-on monter ? J'attendis un moment et fis des suppositions. Est-ce que la raie n'allait pas redescendre sur l'autre jambe ? J'attendis vainement que quelque chose se produisît.

» Finalement, n'y tenant plus, je soulevai, dans mon impatience, la robe pour voir où la maille s'était arrêtée. Mlle Kolacki fit un bond sur sa chaise, tandis que le rouge lui montait au visage. J'encaissai d'abord deux gifles sur chaque joue. Puis nous allâmes tous les deux, la figure écarlate, chez M. le Directeur, c'est-à-dire qu'elle y alla et que, moi, je dus la suivre.

» — Ce gamin insolent et paresseux, bégaya-t-elle, des larmes de rage dans les yeux..., j'ose à peine le dire..., a relevé ma robe !

» J'eus l'impression que M. le Directeur réprimait difficilement son envie de rire.

» — Qu'as-tu à dire ? m'interrogea-t-il.

» Je fis oui de la tête.

» — Pourquoi ?

» — C'est à cause de la maille, dis-je en montrant le bas.

119

» — Ça y est ! cria Mlle Kolacki, furieuse. J'ai déchiré mon bas à cause de ce vaurien ! Vous allez avertir les parents, n'est-ce pas ? Danger pour les mœurs.

» — Naturellement, si vous le désirez.

— Il ne nous a jamais écrit ! intervint Rosa.

— Mais j'étais définitivement perdu auprès de Mlle Kolacki. En quatrième, on me tenait encore pour celui qu'elle désignait ainsi en première : Janec Bienmann, l'élève insolent et paresseux.

— C'est tout de même une honte ! protesta grand-mère. Tu parles comme un docteur, tu tiens cela de ton père.

Elle se tourna vers son fils :

— Christian, tu devrais imposer ton autorité. C'est tout de même ton fils et il doit t'obéir.

Mais M. Bienmann se prit à rire :

— Tu verras, maman, c'est déjà un homme ! Le temps où le père parlait et où le fils écoutait est révolu. Il est dépassé ici encore plus qu'à l'Est. Attends un peu et tu verras.

— Est-ce parce qu'il s'agit d'un fils trop rebelle ou d'un père trop accommodant ? demanda ironiquement grand-mère.

Mais Christian évita la discussion.

De son côté, Rosa était pressée de partir.

— Je veux voir l'appartement, je veux enfin savoir comment est notre chez-nous.

— Donne-nous ton numéro de téléphone, Christian, dit grand-mère, tu partiras après.

— Et reviens nous chercher bientôt ! ajouta Christina.

*
* *

JANEC. — La séparation d'avec M. Gronski m'a été pénible. J'avais réussi à réparer le chauffage du camion. Pendant tout le temps, il est resté autour de moi, sans parler mais en regardant ce que je faisais. Gronski ne parle pas beaucoup, mais il a toujours été là quand il le fallait. D'abord quand papa a filé : « Si tu ne veux pas rester à l'école, viens me voir, je te trouverai du travail. » A cette époque, je me suis dit : c'est sûrement un membre du parti.

Quand les gens commencèrent à jaser à propos de maman et de M. Jarosinski : « Chacun doit vivre sa vie. Ne les juge pas. Juge-toi toi-même. » A ce moment-là, je me suis dit : on peut compter sur lui. Qu'il soit membre du parti, ça ne me dérange pas.

Quand on confia à un autre la direction de l'atelier d'électricité, bien qu'il soit le plus capable : « Ce n'est pas ça qui compte le plus, Janec. Ce qui est important, ce sont les affaires de notre pays. Notre travail est un service. » Celui-là ne parle pas du parti comme mon grand-père, par exemple, qui fait toujours le bonze.

Le lendemain de la fête du chantier dont nous étions revenus ivres tous les deux (pour moi, c'était la première fois) : « Tu as vu comme nous étions dans le cirage, hein, Janec ? Eh bien, réfléchis à ce que je vais te dire : l'ivresse t'éloigne à chaque fois un peu plus de toi-même. » Au parti, on lui avait appris à se servir de sa tête.

Enfin, à mon dernier jour sur le chantier : « Ne te laisse pas avoir. Là-bas, ils ont des tas de jouets. Demande-toi ce qui reste. S'il ne reste rien, pas d'idéal, pas de solidarité, pas de bonheur, alors tout ça ne sert à rien. Ils auront fait de toi un pantin.

Je lui ai répondu que j'aurais de beaucoup préféré rester ; il a eu alors cette parole : « Les affaires du parti demandent des témoins partout. » Gronski est un homme qui fait comprendre, à travers lui-même, que l'idéal est un chemin vers un monde meilleur.

N'OUBLIE PAS, CHRISTINA...

Dans la vitre de la voiture, je vois Gronski à côté de moi. Je suis certain que si jamais j'oubliais de me poser des questions, Gronski me mettrait en garde.

* *

Grand-mère et Christina déballèrent leurs affaires. La famille Donatka, arrivée entre-temps, était logée dans un autre pavillon. Il y avait beaucoup de monde dans ce foyer de transit.

Grand-mère et Christina avaient rangé leurs affaires, fait les lits, allumé les bougies qui rappelaient Noël.

— Es-tu fatiguée, Christina ?

— Oui, mais il y a tellement de bruit ici !

— Il y a trop de monde et trop peu de place.

On entendait un poste de radio diffuser de la musique à l'étage au-dessus, une dispute, des rires.

— Joue-moi quelque chose sur ta flûte, demanda grand-mère.

Christina ouvrit son étui et monta la flûte. Elle s'appuya contre la fenêtre et se mit à jouer ; aussitôt, la radio s'arrêta et quelqu'un frappa à la porte. La porte s'ouvrit et une femme maigre et pâle parut dans l'encadrement de la porte.

— Je suis Mme Stepka et j'habite la pièce à côté.

Grand-mère voulut se lever pour saluer cette voisine. Mais celle-ci dit simplement :

— Jouez, mademoiselle, jouez ; c'est tellement beau !

Christina, qui s'était interrompue, porta de nouveau la flûte à ses lèvres. Mais elle n'avait pas encore joué dix notes que la porte s'ouvrit à nouveau : un homme d'allure grossière, pieds nus, les bretelles sur la chemise entrouverte, parut à son tour. Il se campa devant les trois femmes et se mit à vociférer :

N'OUBLIE PAS, CHRISTINA...

— Tonnerre ! il ne manquait plus que ça ! D'abord cette maudite radio, et maintenant ces sifflements qui vous traversent la moelle des os !

Il s'avança lourdement. Bien que Christina ait cessé de jouer dès son entrée, il ordonna :

— Assez, assez ! je veux dormir. Il faut que je me lève le matin de très bonne heure.

— Ah ! c'est toi, gros lard ! intervint Mme Stepka. Tu n'as pas la moindre idée de ce qu'est la musique, rustaud ! Si tu avais des oreilles d'homme dans ta tête, tu applaudirais la petite. C'était du Mozart, tu entends ? du Mozart !

L'attaque de Mme Stepka coupa le souffle au gros homme. Un peu calmé, il répéta :

— Du Mozart ? Que veux-tu que ça me fasse ? Eh ! drôlesse ! c'est la paix que je veux, pas Mozart !

— Christina ne jouera plus, si cela vous dérange, dit grand-mère. Elle peut faire sa demi-heure d'exercice le matin.

— Mon mari dort le matin, expliqua Mme Stepka. Si vous voulez faire attention à tout le monde ici, vous ne jouerez plus du tout !

— Mon nom est Karnewitz, Robert Karnewitz, dit l'homme en faisant une courbette, plutôt ridicule dans l'accoutrement où il se trouvait.

— Je m'appelle Bienmann, et voici ma petite-fille Christina.

L'homme se tourna et appela en polonais :

— Oh ! les enfants, Marga, Félix, Hilde, Bruno ! Venez ici.

Quatre enfants blonds se pressèrent bientôt à la porte. La fille aînée pouvait avoir huit ans, le plus petit des garçons commençait à peine à marcher.

— Dites bonjour à Mme Bienmann.

Grand-mère salua les enfants et leur dit en allemand :

— Vous avez de magnifiques cheveux blonds, les enfants !

— Ils ne savent pas l'allemand, madame, bougonna l'homme.

Les enfants découvrirent Wolf, couché sur sa couverture.

— Est-ce qu'il mord, grand-mère ? demanda Félix en polonais.

— Non, répondit-elle en allemand, mais ne l'ennuyez pas.

Les enfants avaient au moins compris « non » ; ils s'approchèrent de Wolf. Le chien supporta leurs caresses, mais ne daigna pas remuer la queue.

— Un beau chien, déclara M. Karnewitz. Nous allons enfin pouvoir nous débarrasser de notre Schappi !

— Schappi ? Qu'est-ce que c'est ? demanda Christina.

M. Karnewitz expliqua en riant :

— Ma femme non plus n'en savait rien. Elle croyait que ces boîtes étaient de la viande en conserve à un prix particulièrement intéressant ; elle en a donc pris trois boîtes. Toute la maison a bien ri lorsqu'on s'est rendu compte que c'était un aliment pour chiens !

— Des aliments pour chiens ? En conserve ? demanda grand-mère, incrédule.

— Cela vous surprend, n'est-ce pas ? Mais voyez vous-même.

Il courut dans sa chambre et revint avec les boîtes.

— Vous pouvez les garder. En cadeau de bienvenue, pour ainsi dire.

La porte du couloir s'ouvrit à ce moment.

— Ah ! voilà ma femme ! annonça M. Karnewitz.

Une femme corpulente, vêtue d'un manteau bleu, portant, à chaque bras, un sac à provisions bien

rempli, s'avança à grands pas décidés. Elle eut toutefois l'air un peu embarrassé lorsqu'elle vit les boîtes
dans les mains de grand-mère.

— Que veux-tu faire de ça ? demanda-t-elle à son
mari.

— Tiens, regarde, lui répondit-il en montrant
Wolf du doigt.

Les enfants étaient allongés par terre à côté du
chien. Mme Karnewitz hocha la tête, puis regarda
son mari :

— Robert, va t'habiller.

M. Karnewitz haussa les épaules et s'éloigna en
grommelant. Sa femme serra la main de grand-
mère ainsi que celle de Christina. Puis elle appela
ses enfants, les fit sortir de la pièce.

— Vous devez être fatiguées, dit-elle aux Bienmann. Nous nous verrons demain.

— Oui, à demain, ajouta Mme Stepka en prenant
congé à son tour.

La porte se referma.

— Il faut que nous partions d'ici le plus vite possible, conclut grand-mère en étendant les bras. (La
pièce était si petite que grand-mère en touchait presque les deux murs à la fois.) Il y a trop de monde
et vraiment trop peu de place ! Cela finira par des
disputes.

Malheureusement, elles ne partirent pas aussi vite
que le souhaitait grand-mère Bienmann.

— Cela ne durera que quelques jours, madame,
avait promis le responsable du pavillon. Mais allez
voir d'abord M. Blasereit, c'est lui qui est chargé
de l'orientation scolaire. Il pourra vous indiquer
dans quel lycée votre petite-fille peut aller.

M. Blasereit les accueillit chaleureusement. Il
s'efforça de les apaiser.

N'OUBLIE PAS, CHRISTINA...

— Pour vous, madame, cela ira vite, parce que vous savez dans quelle ville vous allez. Par contre, trouver un lycée pour Christina ne sera pas facile.

— Elle parle bien allemand.

— Ne croyez pas que ce soit facile. La première langue étrangère ici, c'est l'anglais. Les enfants commencent à l'apprendre à dix ans et Christina en aura bientôt seize.

— Ce doit pourtant être possible...

— Sans doute, madame, je vais voir. Nous aurons un bon internat à Saüerlandischen. Qu'en pensez-vous ?

En entendant parler d'internat, Christina devint toute pâle. Heureusement, sa grand-mère tranchait déjà d'un ton sans réplique :

— Un internat ? Il n'en est pas question. Il est déjà assez regrettable que notre famille ne puisse pas vivre ensemble. Je ne me séparerai de ma petite-fille à aucun prix.

— Nous allons voir, répondit M. Blasereit.

Au bout de quatre jours, il disait encore : « Nous allons voir. »

Grand-mère Bienmann finit par se fâcher :

— Vous allez voir, vous allez voir, bon sang ! Les jeunes Donatka sont à un cours d'allemand, les enfants de M. Karnewitz vont à une école accélérée, la fille de Mme Stepka suit un cours de sténographie. Il n'y a que pour Christina que vous ne trouvez rien, parce que vous ne la comprenez pas. Elle vient de Pologne, *mais* elle parle l'allemand. Elle a un « très bien » en russe, *mais* elle n'a pas suivi de cours d'anglais. En musique, elle était la meilleure de son école, *mais*...

— Un instant, madame ! l'interrompit M. Blasereit. Vous avez bien dit en musique ?

— Parfaitement. Elle allait dans un lycée où il y avait un cours de musique.

— Joues-tu d'un instrument ? demanda M. Blasereit à Christina.

— Oui, monsieur ; de la flûte traversière. Je suis allée pendant huit ans à l'école de musique et j'ai pris des cours particuliers.

— Cela me donne une idée.

M. Blasereit chercha un numéro dans un épais annuaire téléphonique et prit le combiné. Sa communication dura longtemps et, lorsqu'il raccrocha, il poussa un soupir de soulagement.

— Ça ira. Vous savez, madame (et il regarda la grand-mère avec malice), c'est la vingt-septième communication que je passe pour Christina !

— Veuillez m'excuser, s'il vous plaît.

Grand-mère Bienmann était confuse.

— Fort bien. Il existe un lycée dans lequel la musique joue un grand rôle. Christina devra s'y présenter lundi matin. Je vais vous donner l'adresse. Votre fils vient peut-être vous chercher dimanche ?

— Bien sûr.

— Il faudra que vous reveniez encore une ou deux fois, madame. Avant tout, pour votre pension. Ça ne va pas si vite.

— Je le sais ! Il faut toujours attendre. On nous faisait attendre là-bas. On nous fait attendre ici. Le reste de ma vie s'en va et, moi, je dois attendre ! Je ne m'y ferai jamais !

*
* *

Il aurait fallu bien peu de chose pour que Christina soit obligée d'aller dans une autre école. Son avenir n'avait tenu qu'à quelques fils. Cependant, ces fils, ténus comme de la soie, pesaient bien cent

127

kilos et étaient couronnés par une grosse tête aux cheveux gris et courts ! Bien que Christina ne mesurât qu'un mètre soixante-cinq, elle était plus grande que M. Haberfeld, proviseur du lycée, qui ne passait que très difficilement inaperçu. Le proviseur exposa le problème de Christina au professeur de musique.

— Qu'en pensez-vous, mon cher collègue ? Cette jeune personne a-t-elle une chance ?

— Je n'en sais rien tant que je ne l'ai pas entendue jouer.

M. Haberfeld lui tendit le certificat de Christina. Le professeur le fixa à travers ses lunettes à monture d'or. Il reposa la feuille sur la table :

— Vous avez de très bonnes notes en musique, ma petite.

Le proviseur le regarda, surpris :

— Voyons, docteur Schmuda, vous parlez polonais ?

— Non, pas du tout.

— Alors, comment savez-vous que la petite a un « très bien » en musique ?

— Très simple, mon cher collègue. Quand vous ne me demandez conseil que pour les cas difficiles, il s'agit toujours d'un élève qui a un « très bien » en musique.

Christina, qui écoutait avec surprise, fut tout de suite conquise par ce professeur original.

— Jouez ! ordonna-t-il à Christina.

— Maintenant ? Ici ? demanda la jeune fille.

— Maintenant et ici. Et vite, s'il vous plaît ! Dans cinq minutes, il faut que je sois avec le chœur. Je suis ici pour m'occuper de la musique et non pour faire de l'orientation scolaire, ajouta-t-il à l'intention du proviseur en le fixant par-dessus ses lunettes.

Christina assembla rapidement sa flûte et l'intérêt du docteur Schmuda fut aussitôt en éveil.

N'OUBLIE PAS, CHRISTINA...

— Un bel instrument ancien. Magnifique travail !

— Que dois-je jouer ? demanda Christina.

— Oh ! avez-vous donc un tel répertoire ? Eh bien ! jouez Vivaldi, ou bien Leclair, ou ce que vous voulez...

Christina fut reconnaissante à Mme Jablonska d'avoir si souvent ouvert son album de Vivaldi. Elle joua la première partie du *Concerto pour flûte en sol majeur*.

Le visage du docteur Schmuda rayonnait. Ses mains suivaient la partition, donnant de temps en temps les impulsions d'un chef d'orchestre, sans interrompre Christina. Lorsque le proviseur risqua un prudent : « Mon cher collègue, ne croyez-vous pas... », il réclama le silence d'un geste irrité.

Christina acheva le morceau.

— Continuez, mon enfant, pria le docteur Schmuda.

Mais le proviseur intervint avec énergie :

— Le chœur, monsieur le Docteur !

— Ah ! c'est vrai, je l'avais oublié !

Il se hâta vers la porte, se retourna, revint vers grand-mère.

— Au revoir, madame, votre fille a une chance.

Il fit signe à Christina et s'éloigna en parlant tout seul.

— C'est le beau M. Florin qui va être étonné ! Il va même être rudement étonné !

— C'est bien, dit le proviseur. Nous prendrons Christina dans la dixième classe (1). Les six premiers mois ne seront pas faciles pour elle.

— Quand Christina pourra-t-elle commencer ?

— Dès demain. Mme Hansen, la secrétaire, vous donnera les livres.

_____

(1) Ce qui correspond à la classe de seconde en France.

N'OUBLIE PAS, CHRISTINA...

*
* *

Elles devaient prendre le tramway pour rentrer. Grand-mère se renseigna à l'arrêt, s'adressant à un couple âgé. C'est l'homme qui lui répondit amicalement :

— Toi, prendre la ligne 4. (Avec les doigts de sa main, il montra « quatre ».) Numéro 4, compris ? Mais fais bien attention, prends cette direction ! (Il montra la gare.) Pas dans la remorque, compris ? C'est seulement pour ceux qui ont un abonnement (1).

— Merci bien, dit grand-mère.

— Il n'était donc pas allemand, cet homme ? s'étonna Christina.

Sa grand-mère n'eut pas le temps de lui répondre, elles entendirent l'homme s'adresser à sa femme :

— On a d'abord eu les Yougos, puis les Ritals, maintenant ils nous amènent leurs familles. Le diable sait ce qu'on aura après !

— Ne parle pas si fort !

— Bah ! ils ne comprennent presque pas un mot d'allemand ! s'exclama l'homme en riant.

Parvenues au terminus, il leur fallait encore marcher dix minutes à pied. Le foyer de transit dans lequel elles logeaient depuis quelques jours était situé à l'endroit où les maisons laissaient la place à des usines métallurgiques. La rue Lützmann était la fin de la ville convenable. C'était l'épouvantail avec lequel les parents menaçaient leurs enfants :

— Si tu continues ainsi, tu finiras dans la rue Lützmann...

_____

(1) En Allemagne, tramways et trolleybus comportent une semi-remorque.

N'OUBLIE PAS, CHRISTINA...

La pièce qu'elles habitaient — au numéro 10 de la rue Lützmann — mesurait deux mètres soixante-dix sur trois. Le mobilier était réduit au strict minimum. Tout évoquait la caserne : les quatre étages, l'architecture sans goût, les rangées sans fin de fenêtres identiques, les froides cages d'escaliers, les couloirs en pierre, et surtout le grand nombre de personnes entassées dans un espace réduit.

L'après-midi, Christina partit chez sa mère. Elle avait une bonne heure de trajet, car l'appartement — petit mais coquet — était situé à l'autre bout de la ville. Avec joie et fierté, Rosa montra à sa fille tout ce que M. Bienmann s'était procuré pendant les quatre années : le grand téléviseur, le canapé qui se transformait facilement en un grand lit, la cuisinière électrique, le couteau à découper électrique, le réfrigérateur surmonté d'un petit congélateur, les costumes et le linge dans l'armoire, le service à café décoré à la main. Rosa avait retrouvé sa gaieté d'autrefois.

— Et M. Jarosinski, que devient-il ? demanda soudain Christina.

Le visage de sa mère s'altéra si fort que Christina regretta aussitôt d'avoir posé la question.

— Je sais ce que tu penses ! Tu es exactement comme ta grand-mère, tu ne comprendras jamais rien. Je me suis retrouvée seule avec deux enfants, j'avais peur. M. Jarosinski est le seul qui m'ait dit : « Tiens bon, Rosa ; il y a des mauvais jours qui arrivent, mais les mauvais jours passeront. »

Elle s'assit et Christina lui entoura le cou de ses bras. Rosa regarda sa fille.

— J'ai laissé M. Jarosinski dans mon passé, ne m'en parle plus jamais, petite.

— C'est promis, maman !

N'OUBLIE PAS, CHRISTINA...

M. Bienmann et Janec revinrent peu après du travail. Ils prirent le café ensemble.

— Il est temps que je parte ! s'exclama Christina au bout d'une heure.

— Nous avons une surprise pour toi, dit Rosa en souriant ; ferme les yeux.

Ses parents avaient acheté à Christina un ensemble pantalon bleu ciel et un pull-over blanc. Il allait aussi bien à Christina que si elle avait été présente à l'achat ! En la voyant, Janec fit entendre un long sifflement admiratif :

— Quand donc sortons-nous ensemble, petite sœur ?

Elle revêtit aussitôt son ensemble neuf et enveloppa sa robe et son vieux pull. Dans le tram, elle observa les voyageurs pour voir l'effet que faisaient ses nouveaux habits. Mais personne ne la regardait !

Grand-mère Bienmann l'examina d'un œil critique :

— Ce n'est vraiment pas mal ! Je n'aime pas les filles en pantalon, mais je trouve que cet ensemble te va bien. Pour la première fois, j'ai l'impression que tu es devenue une femme.

— As-tu vu les nouveaux voisins ?

— Oui. Tu feras connaissance de la famille Krobus, nous sommes invitées à prendre une tasse de thé. L'autre famille au bout du couloir se nomme Bronski ; il y a plus de deux ans qu'ils vivent dans ce foyer de transit. Le mari a une situation stable. Ils ont cinq enfants, mais seuls sont ici Waclaw, qui l'aîné, et les deux petits.

— Et les autres ?

— Ils sont en internat, pour apprendre l'allemand. Mais Mme Bronski se fait du souci : ses enfants font peu de progrès parce qu'ils parlent toujours polonais entre eux.

— Ce n'est quand même pas un crime !

— Non, bien sûr, mais Mme Bronski m'a expliqué comment cela finit. Son fils aîné a quitté la classe accélérée, il y a un an, pour entrer dans la classe normale, avec des enfants de son âge. Mme Bronski a été convoquée peu après chez le professeur, qui prétendait que Waclaw était paresseux et troublait la classe.

» — C'est qu'il ne vous comprend pas bien, lui a-t-elle répondu ; il fait de son mieux, mais il ne vous comprend pas parce que vous parlez trop vite.

» — Ce n'est pas possible ! a répliqué le professeur. J'ai trente-neuf enfants dans la classe. Aucun encore ne s'est plaint de ne pas me comprendre.

» — Mais vous savez bien qu'il n'a parlé que polonais jusqu'à l'âge de onze ans.

» — Peut-être, madame, peut-être, mais, avec trente-neuf élèves, je ne puis pas m'occuper d'eux individuellement. Calculez que pour un cours de quarante-cinq minutes cela ferait juste une minute pour chaque élève !

» — Que dois-je faire ?

» — Dites-lui qu'il cesse de frapper les autres sans raison. Certains parents sont venus se plaindre.

» La pauvre femme n'a rien répondu. Elle ne lui a même pas dit que *les autres* avaient surnommé son fils « Waschlapp (1) » et qu'ils injuriaient ce « cochon de Polonais ».

— Et que va-t-il devenir ? s'inquiéta Christina.

— Le professeur veut qu'il redouble.

— Un an de perdu ! Il n'est peut-être pas très doué ?

_____

(1) Waschlapp : torchon.

N'OUBLIE PAS, CHRISTINA...

— Je crois que si. Sa mère m'a montré les bulletins qu'il avait en Pologne ; ils sont vraiment bons.

— Je me demande comment ça va se passer pour moi ! soupira Christina.

Le cœur de Christina battait la chamade. Enfin ! elle se trouvait devant l'immense bâtiment du lycée. Le ciel était gris et il commençait à neiger.

Christina fut accueillie — peu aimablement — au secrétariat. Elle se présenta.

— Mon Dieu ! s'écria Mme Hansen, je vous avais oubliée. Avec tout ce monde ici, on perd la tête ! Vous serez en dixième, au cours de M. Pomel. C'est au deuxième étage, la troisième porte à gauche.

Devant la porte, Christina compta jusqu'à vingt, puis elle frappa. M. Pomel lui-même ouvrit.

— Je suis une nouvelle élève, Christina Bienmann.

— C'est le secrétariat qui vous envoie ? (Elle fit signe que oui de la tête.) Eh bien, veuillez entrer.

Christina entra et sentit trente-quatre paires d'yeux se fixer sur elle.

— Voulez-vous vous présenter à la classe ?

Christina parvint à articuler son nom.

— Ajoutez quelques mots, s'il vous plaît, insista M. Pomel.

— J'étais jusqu'ici dans un lycée en Pologne. Nous sommes arrivés en Allemagne il y a peu de temps. Nous sommes des rapatriés.

Les élèves, qui bavardaient entre eux, se turent : leur intérêt s'était éveillé. Dans le fond de la classe, un garçon entonna une mélodie :

> *Dans une petite ville polonaise*
> *Vivait autrefois une demoiselle...*

— Krause, cessez de dire des bêtises ! intervint Pomel.

N'OUBLIE PAS, CHRISTINA...

Puis, se tournant vers Christina :

— Pour une Polonaise, vous parlez fort bien l'allemand.

Christina sentit ses genoux trembler.

— Je ne suis pas polonaise, monsieur, ma famille est allemande.

— Mais vous avez un fort accent qui m'a trompé. Voyons, où allons-nous vous placer ?

Le professeur parcourut les rangs.

— Il n'y a que cette place libre devant. Krause, veuillez céder votre place. Je crois que la fréquentation de Bartel vous fera du bien.

— Mais, monsieur..., protesta Krause.

En vain. Pomel resta inflexible.

— Allez ! dit-il seulement.

— C'est moi qui suis expatrié ! grommela Krause parmi les rires.

Christina s'assit donc à sa place. A la même table qu'elle, était assis un garçon à la longue crinière blonde. Ses yeux malicieux et ses traits agréables furent aussitôt sympathiques à Christina. Elle lui dit un bonjour réservé.

— Continuons, déclara M. Pomel. Reprenons les causes de la guerre de Trente Ans.

Le tableau était couvert d'annotations. Le plus souvent, c'est M. Pomel lui-même qui parlait. Christina, qui avait longuement étudié le sujet quelques mois plus tôt, reconnut pourtant peu des faits qu'elle avait appris. Lorsque la défenestration de Prague eut été citée trois fois, M. Pomel s'impatienta :

— Bien, bien, mais comment en vint-on là ?

Christina n'aurait sûrement pas ouvert la bouche si M. Pomel ne s'était adressé à elle :

— Et vous, que dites-vous ? Avez-vous déjà étudié le dix-septième siècle ?

— Oui, monsieur.

N'OUBLIE PAS, CHRISTINA...

— Que savez-vous sur le sujet ?

Christina se leva et répondit avec brio. Et, pour la deuxième fois de la journée, elle éveilla l'attention de la classe. Il y eut quelques rires.

— Enfin une explication claire ! s'exclama Krause avec enthousiasme. L'exploitation de la Pologne ! La noblesse, le clergé !

Pomel s'approcha d'elle :

— C'est ainsi que vous avez appris l'histoire ?

— Oui, monsieur.

Pomel s'éloigna, pensif, et regagna sa chaire.

— Vous voyez, mesdemoiselles et messieurs, l'histoire est sujette à interprétation. Les noms, les dates, tout cela est exact. Mais les faits sont interprétés...

La cloche sonna la fin du cours.

— Nous y reviendrons, déclara M. Pomel.

— Je l'espère ! s'exclama Krause.

Une petite dame, en costume vert, de coupe sportive, entra dans la classe. Christina se leva.

— Ah ! c'est vous la nouvelle ? Le docteur Schmuda m'a parlé de vous, la flûtiste. Je suis Mlle Brandstätter et j'enseigne l'allemand.

Elle serra énergiquement la main de Christina.

Le jeune homme à côté de Christina griffonna quelque chose sur son bloc de papier et le lui passa. *Attention, Brandy est une sacrée fille !* Elle écrivit *Merci* en dessous et renvoya le bloc. Lequel revint peu après :

— *Johannes Latour, mais on m'appelle John.*

— *Christina,* écrivit-elle en dessous.

— *Je collectionne les oldis singles.*

— *?*

— *Ce sont des disques anciens.*

— *Je n'y connais rien.*

— *Timide ?*

— *Très.*

N'OUBLIE PAS, CHRISTINA...

— Latour, quel est votre avis ?

John fit habilement disparaître le bloc sous la table. Il se leva :

— C'est un cas difficile à trancher.

Il fit une pause savante. Mais, comme Brandy continuait à le fixer, il ajouta :

— Si l'on considère bien les faits, il est évident qu'ils peuvent être différemment interprétés.

Un éclat de rire lui répondit.

— Voilà une opinion difficile à réfuter ! se moqua Brandy. Pourtant, dans le cas qui nous occupe, même en considérant bien les faits, la réponse est claire comme de l'eau de roche. Je vous demandais combien de fois vous allez passer encore votre bloc à Christina.

Les rires redoublèrent. Christina fut soulagée de voir que John et Brandy riaient aussi, et elle rit avec eux.

Pendant la récréation, personne ne fit attention à elle. Elle mangeait son pain au lait lorsqu'elle fut abordée par un garçon de taille moyenne, aux cheveux couleur de jais.

— Je m'appelle Florin, Hans-Jörg Florin. J'ai appris en classe que tu joues de la flûte.

— Oui, c'est vrai.

— Moi aussi. Le gros Schmuda va se réjouir. Il nous faut absolument une deuxième flûte dans l'orchestre du lycée. J'espère que tu y arriveras.

— Je l'espère, répondit Christina, embarrassée.

— Je prends des leçons avec le premier flûtiste de l'orchestre municipal. Si tu veux, je pourrais jouer avec toi de temps en temps.

— Nous verrons, répondit Christina, évasivement.

— A tout à l'heure.

Il enleva ses gants en peau de chèvre et lui tendit la main.

N'OUBLIE PAS, CHRISTINA...

Pendant la dernière heure de cours, le concierge entra dans la salle.

— Pardon, monsieur, dit-il au professeur, le docteur Schmuda demande la nouvelle élève.

— Toujours ces interruptions ! maugréa le professeur de mathématiques.

Le docteur Schmuda faisait les cent pas devant la salle des professeurs.

— Ah ! vous voilà !

— Bonjour, monsieur.

— J'ai une bonne nouvelle pour vous. Si vous le voulez, vous pourrez suivre un cours de russe à la place de l'anglais. Il a lieu deux fois par semaine de quinze heures à seize heures trente.

— Et ce cours a la même valeur que l'anglais ?

— Oui, mais il faudra que vous suiviez le cours de la classe supérieure.

— Ça ne fait rien ; j'étudie déjà le russe depuis quatre ans.

— Parfait !

*
* *

JOHN. — *Il y a seulement trois semaines, si quelqu'un m'avait dit que je me ferais tondre la crinière, je lui aurais probablement conseillé une visite chez un psychiatre. Ma crinière, comme le disait mon père parfois avec agacement, parfois avec une blessante ironie, est tombée victime des ciseaux d'un coiffeur. Je me suis regardé dans le miroir, à demi content, à demi peiné ; le coiffeur se tenait derrière moi, une lueur amusée dans les yeux.*

Pendant trois ans, elle avait poussé, mèche après mèche. Quel sentiment de triomphe lorsque la pointe de mes cheveux chatouilla mes épaules pour la première fois ! J'aurais fraternellement donné une accolade à Samson.

N'OUBLIE PAS, CHRISTINA...

Trois ans, cela fait à peu près trente-six mille allusions moqueuses :

— Mes cheveux feraient honneur à un babouin (mon père).

— A un point de vue, au moins, j'étais supérieur à Beethoven (ma mère).

— Je ne trouve plus l'O-Cedar, tu me prêtes ta tignasse ? (ma sœur Claudia).

— Je voudrais un chien très poilu, comme John, au point qu'on ne puisse pas reconnaître le devant du derrière (ma petite sœur).

— Tu réussirais peut-être plus facilement tes versions si seulement tu y voyais plus clair (le prof de latin).

— Comment s'appelle votre petite-fille ? (la voisine de lit de grand-mère à l'hôpital).

— Que va devenir l'Allemagne ? Quand je vois cette jeunesse dépravée ! (un monsieur bien droit dans une réunion électorale).

— Non, merci ! Vous avez tellement de choses à porter ! (une dame à qui j'offrais une place dans un bus archicomble).

Trente-six mille fois, sur tous les modes : grossier - ironique - désarmé - soucieux - furieux - orgueilleux - condescendant - bête - mordant - affectueusement persuasif - stupide - incompréhensif - niais.

Cela vous endurcit !

Je concède qu'ils sont parvenus parfois à percer mon épiderme calleux — surtout ma mère, quand elle ne disait rien, mais quand je sentais sur mes cheveux son regard. Mais, cela, c'était à l'intérieur de moi. De l'extérieur, je paraissais aussi blindé que le vaillant Siegfried, qui se baignait dans le sang du dragon. Et aucune feuille de tilleul ne m'avait laissé un endroit vulnérable entre les épaules.

Du moins, je le croyais voici encore trois semaines.

N'OUBLIE PAS, CHRISTINA...

Mon père comptait sur mon intellect (moyenne 2,3 = bien). Maman comptait sur ma maturité (dans deux ans, cela aura sûrement passé). Les professeurs tablaient sur l'influence bénéfique de la famille et la famille faisait confiance aux vertus pédagogiques des professeurs. Grand-mère croyait avoir trouvé la solution en me montrant la photo de mon grand-père aux cheveux ras ; car j'avais été son chouchou avant son décès. La seule qui fût réaliste fut Claudia, elle disait : « Attends, le service militaire... »

Dans la classe, ma crinière était un sujet de plaisanterie, et justement je tenais à m'affirmer en classe. J'ai souvent défendu un point de vue différent de Krause et Peter Basten qui sont les caïds de la dixième.

Le jour de la sortie, je n'étais pas d'accord pour visiter une brasserie et j'ai proposé la visite d'une grande imprimerie.

J'ai critiqué tout haut leurs coucheries et j'ai dit ce que j'en pensais.

Je n'ai pas accepté qu'ils soient aussi injustes vis-à-vis de cette Miss Angleterre.

Ma crinière m'a empêché — j'en suis persuadé — de devenir un marginal.

J'ai raconté tout cela pour qu'on puisse mesurer l'impact de quelques mots. Les premiers que Christina m'ait adressés, il y a trois semaines, avec son fort accent :

— Je n'aime pas les longs cheveux.

* *

Il y avait maintenant un mois qu'ils habitaient rue Lützmann. Les Donatka étaient venus leur rendre visite. Stani avait refusé toutes les places qu'on lui offrait dans une école. Il travaillait maintenant dans un chantier et cela lui plaisait.

« L'important, c'est que ça marche ! » C'était la première phrase qu'il était parvenu à articuler sans faute. Jeanne ne revenait que tous les quinze jours chez ses parents, elle préparait le B.E.P.C. dans un internat.

Christina s'était bien adaptée au lycée, l'orchestre l'aidant à s'insérer. Hans-Jörg se montrait amical envers elle, même après qu'il se fut rendu compte qu'il n'avait pas grand-chose à apprendre à Christina. Il jouait fort bien et le docteur Schmuda l'avait maintenu première flûte. Il avait invité une fois Christina à une partie et lui avait proposé de venir la chercher avec la voiture de son père. Christina avait refusé, prétextant un travail urgent ; en réalité, elle aurait eu honte de lui dire qu'elle habitait rue Lützmann.

Cette fameuse rue était connue de toute la ville. Certains disaient que c'était le quartier asocial, d'autres qu'on y hébergeait les gens en marge de la société. Mais tout le monde était du même avis : mieux valait ne pas s'y risquer après la tombée de la nuit.

Christina savait depuis longtemps que le terme « asocial » qualifiait des gens fort différents. Par exemple, les amateurs de vermouth : en général, des gens relativement âgés qui dépensaient jusqu'à leur dernier pfennig pour acheter un vermouth bon marché, et qui, le plus souvent, étaient ivres. Il y avait aussi des femmes comme la jeune Mme Walzleben. Elle avait abandonné son mari, un beau jour, le laissant seul avec trois enfants en bas âge, et un nombre impressionnant de traites à payer.

Sous un rapport, les numéros 10 à 14 de la rue Lützmann — c'est-à-dire le foyer de transit — se différenciaient beaucoup des numéros 16 à 34. Car, d'un côté, après un samedi soir rempli de cris, de rires et d'injures, on cuvait le dimanche matin l'ivresse de la nuit. De l'autre, les rapatriés se rendaient à l'église. La plupart allaient à l'église Saint-Boniface, distante d'environ un quart d'heure de marche. Un petit nombre se rendaient au culte de l'église calviniste des Apôtres.

Pour son premier dimanche, Christina crut s'être trompée. Elle avait toujours entendu dire que la messe était célébrée de façon identique partout dans le monde, mais cela n'était pas vrai. Il n'y avait pas un mot de latin, pas un souffle d'encens. Un homme en civil distribuait la communion à côté du prêtre. Elle fut incapable de reprendre un seul des cantiques.

Pourtant, elle reconnut le vicaire, venu au foyer quelques jours après leur arrivée. Il avait alors noté leur nom sur un carnet et leur avait donné un plan du quartier.

— J'espère que vous n'aurez pas la même déception que M. Pollex, il y a un an. Il était monté sur le toit du foyer pour voir le clocher de l'église. Il a bien vu les cheminées de l'usine, l'immeuble de la Caisse d'épargne, mais de clocher, point. Notre église n'a qu'un tout petit clocher.

Ce matin-là, grand-mère Bienmann et Christina s'étaient rendues à la messe de huit heures. A leur habitude, elles restèrent un moment après le dernier cantique. En Pologne, les gens prenaient toujours, près du portail, le temps d'échanger quelques mots après la messe. Le curé et ses vicaires se mêlaient à la foule, en devisant avec les gens. Mais, ici, à Saint-Boniface, tout le monde semblait pressé. C'est à peine si les gens échangeaient un bonjour, aucun ne s'attardait.

N'OUBLIE PAS, CHRISTINA...

— Viens, grand-mère, partons !

Mme Bienmann s'enveloppa soigneusement dans son grand châle de laine et soupira, se disposant à suivre sa petite-fille.

— Madame Bienmann ! (Le vicaire l'appelait en lui faisant signe.) Je croyais déjà vous avoir manquée ! Venez, je vous invite à prendre une tasse de café.

— Que va dire votre gouvernante, si vous amenez des invitées de si bon matin ?

— Ma gouvernante ? (Il rit.) Je vis tout seul. Pour le repas de midi, je vais chez les sœurs de l'hôpital.

Un peu embarrassées, elles le suivirent. Il logeait au troisième étage d'un immeuble près de l'église, un appartement très simple où tout était soigneusement rangé.

— Asseyez-vous, je vous prie, je m'occupe du café.

— Puis-je vous aider ? proposa grand-mère.

— Pas du tout, ça ira très vite.

On l'entendit s'activer à la cuisine. Il disposa trois tasses sur la table, apporta le sucre dans une boîte en métal, courut à la cuisine et revint avec une cafetière en verre, dans laquelle le café fumait.

— Dans quinze jours, ce sera Pâques, commença-t-il.

Christina crut qu'il allait déjà parler de confession, mais elle se trompait. Il les invita à passer les fêtes dans une maison qui appartenait à l'évêché.

— Ces jours-là, la maison est réservée aux rapatriés. Elle est très bien située, en haut de la vallée de la Ruhr.

— Oui, c'est très aimable à vous, révérend, mais nous voulions passer Pâques avec mon fils, en famille.

— Bien sûr, mais dans un petit appartement ce ne sera pas facile. Ecoutez donc ma proposition :

allez passer ces quelques jours là-bas, mais emmenez avec vous votre fils, votre belle-fille et le jeune homme.

— Vous savez — grand-mère Bienmann hésita, puis se décida enfin — mon petit-fils ne va plus guère à l'église.

— Cela n'a aucune importance ! Vous n'êtes pas invités à une réunion de prière. Il s'agit simplement pour vous de passer agréablement les fêtes pascales, c'est tout.

— Je vais en parler à mon fils.

— Entendu ! Vous me verrez cette semaine rue Lützmann, car je désire inviter d'autres familles.

Il resservit du café, puis s'adressa à Christina :

— Vous plaisez-vous ici ?

— On y est bien, mais on n'y trouve pas facilement des amis.

— Cela viendra, mademoiselle. Après Pâques, nous allons créer une discothèque. On vous y invitera.

— Excusez-moi, mais qu'est-ce qu'une discothèque ? demanda grand-mère.

Il lui sourit :

— Du bruit et des danses.

— Ma petite-fille joue de la flûte, vous savez.

— Ce n'est pas la peine d'en parler ! fit Christina, embarrassée.

Le vicaire montra le mur, derrière le bureau, où était accrochée une flûte en bois.

— Moi, j'ai une flûte traversière, dit Christina.

— La paroisse va bientôt constituer un groupe musical pour la messe. Ce sera pour Pâques. Est-ce que cela vous tente ?

— Je ne sais pas...

— Nous reverrons cela, dit le vicaire. (Il regarda sa montre.) Il faut que je retourne à l'église.

Christina porta la vaisselle à la cuisine, qui brillait

de propreté. Elles remercièrent le vicaire et prirent congé.

— Il est bien gentil, ce révérend homme, dit Mme Bienmann.

— Grand-mère, je crois que ton allemand date d'avant-hier ! Ici, il y a longtemps que l'on ne dit plus *révérend* aux prêtres.

— Voilà que les poussins en savent plus qu'une vieille poule..., grommela sa grand-mère avec agacement.

La famille Donatka vint à leur rencontre.

— Tu viens avec nous ce soir à l'Association Heimat (1) ? demanda Stani. Voici le programme des réjouissances : groupe folklorique, concert d'harmonica, projection de diapositives.

— Va avec les Donatka, si cela te fait plaisir, dit grand-mère.

— Pourquoi ne nous accompagnes-tu pas ?

— Non, ma petite. Je suis fatiguée dès le matin. Je crois qu'il faut d'abord que je m'habitue à l'air d'ici. Je préfère me coucher de bonne heure.

Christina prit donc rendez-vous avec Stani et elle vit combien il s'en réjouissait.

L'après-midi, Rosa vint au foyer avec Janec. Ils apportaient le premier gâteau que Rosa ait cuit dans le four électrique. Janec n'avait rien de particulier à faire et il décida de se rendre lui aussi à la soirée du Heimat.

— As-tu pris la clé ? demandèrent en même temps Rosa et la grand-mère à Christina lorsque les Donatka vinrent la chercher.

— Et surtout il faut que Christina soit rentrée au plus tard à onze heures, ajouta grand-mère.

---

(1) Heimat = le pays natal. *(N. d. T.)*

N'OUBLIE PAS, CHRISTINA...

Vers huit heures, des personnes âgées et des jeunes gens se réunirent dans une salle de l'auberge « Au vieux marinier ». Il y avait beaucoup de monde : soixante-dix ou quatre-vingts assistants, très peu de personnes d'âge moyen. Janec et Stani avaient trouvé deux tables de quatre personnes, près de la scène.

La plupart des assistants se connaissaient déjà. Le programme, qui n'avait rien de sensationnel, se déroula dans le calme.

Le groupe folklorique portait de beaux costumes et les enfants jouaient consciencieusement de leurs instruments.

Le conférencier, dans son commentaire qui accompagnait les diapositives, parla de « notre patrie, autrefois si jolie ». Les paysages prouvaient que le photographe était capable de faire de fort beaux clichés. Il n'avait pas photographié seulement des paysages, mais aussi des villages, des fermes, des rues avec des rangées de maisons. Cependant celles-ci étaient décrépites, les clôtures étaient délabrées, l'herbe poussait entre les pavés ; il y avait des flaques au milieu des cours.

— On croirait voir la ferme du vieux ! Vous vous rappelez ? celui qui jouait du violon ! s'exclama Janec.

— Et il savait faire un fameux schnaps. Allez, à votre santé !

Et Stani vida son troisième verre de bière. Il avait déjà bu un petit verre d'alcool. Finalement, le conférencier conclut ainsi :

— Voilà, mes amis, comment se présente aujourd'hui notre patrie. Elle dépérit. Les champs sont à l'abandon, les villages sont mal entretenus, les villes montrent souvent le visage de ceux qui-voudraient-bien-mais-ne-peuvent-pas. Qu'a-t-on fait de nos villes et de nos villages autrefois si beaux ?

Applaudissements.

Janec s'était réveillé d'un coup. Il leva la main le premier lorsque le président demanda si quelqu'un voulait poser des questions.

— J'arrive précisément de Pologne. Les choses se passent tout autrement là-bas.

— Mon jeune ami — le conférencier le prit de haut — vous allez peut-être soutenir que j'ai pris ces photos en Afrique et non dans notre ancienne patrie ?

— Pas du tout ! Il est possible qu'en Pologne...

— ... en Allemagne orientale ! rectifia quelqu'un.

Janec ne se laissa pas troubler et continua :

— Les photos ont peut-être été prises en Pologne. Mais elles ne sont pas équitables.

— Qu'entendez-vous par là ? demanda le conférencier.

— Vous n'avez montré que les côtés négatifs du pays. Si vous deviez photographier la rue Lützmann, ce ne serait pas très beau non plus.

— J'ai vu ce que j'ai vu, cher ami ! s'exclama le conférencier.

— Vous n'avez sans doute pas vu que la vieille ville de Dantzig a été magnifiquement reconstruite, que de nombreux monuments qui avaient été détruits ont été rebâtis et qu'il y a de nombreux quartiers neufs ?

— Varsovie a été reconstruite, compléta Stani en essuyant du revers de la main la bière qui était restée sur ses lèvres.

— Je ne parle pas des régions entièrement polonaises comme Varsovie. Je ne parle que de la Prusse orientale, de la Silésie, etc. Ces régions sont en

147

jachère. Les gens là-bas savent bien que ce n'est pas leur pays. Vous...

— Mon brave, allons au fait. Avez-vous l'intention de prétendre que l'un d'entre nous retrouvera jamais ce pays ?

— Nous avons un droit sur notre patrie ! dit le président. Chacun a le droit de vivre chez lui.

— La patrie ? qu'est-ce que c'est ? demanda Janec en se laissant tomber sur une chaise.

— Ma patrie, c'est là où je me sens bien ! cria Stani.

— La ferme ! aboya le vieux Donatka. Tu veux trahir notre pays ou quoi ?

— Votre patrie se trouve là où est la maison de votre père, jeune homme, là où votre mère vous a appris à parler !

Stani but un long trait de bière. Ses yeux brillaient déjà d'énervement. Janec répondit à sa place :

— Je suis né dans une maison où mes parents étaient locataires, au quatrième étage. J'ai parlé le polonais avant l'allemand. (Intentionnellement, il appuyait son accent.) Et, cependant, ma grand-mère m'a dit : « Nous sommes allemands. Nous retournerons en Allemagne. » Et maintenant j'y suis. Tous mes amis sont là-bas, ces Polacks (1), qui sont nés là-bas. Ceux qui y vivent avec leur père dans leur maison ont d'abord dit « Mamousia (2) » et non pas « maman ». Est-ce que leur patrie n'est pas là-bas ? Et vous voulez chasser ces gens-là ?

— Aucun de nous n'a l'intention de recourir à la force pour reconquérir ces territoires, dit le conférencier. Aucun de nous ne veut la guerre. Vous avez

---

(1) Polack : terme méprisant qu'emploient les Allemands pour désigner un Polonais.
(2) Mamousia : maman, en polonais.

été apparemment trompé par des termes politiques. Nous autres, expulsés, nous sommes pacifiques.

Le président, homme malingre aux cheveux blancs, saisit au vol ce mot conciliant pour s'immiscer dans la discussion.

— Dans le cadre d'une grande Europe, il y aura peut-être un côte-à-côte, un bon voisinage entre la Pologne et l'Allemagne. Je veux dire que chaque homme devrait pouvoir vivre là où il veut.

— Passez donc la frontière, répliqua Janec, sceptique. Vous verrez bien qu'elle n'a pas été faite pour durer seulement huit jours !

— C'est un rêve, concéda le président, une vision.

Il pencha la tête et resta un moment le regard perdu devant lui. La salle restait silencieuse.

— Mais c'est un beau rêve ! intervint enfin une femme âgée. On en vit.

Le président se ressaisit, repoussa ses cheveux et déclara :

— L'histoire a déjà ouvert des voies qu'aucun homme n'avait soupçonnées avant. Chers amis de la patrie, chantons encore quelque chose ensemble.

D'une voix claire et tremblotante, il entonna :

— *La nuit tombe sur la plaine...*

Janec l'interrompit :

— Je rentre à la maison, je n'ai plus rien à faire ici.

Stani, lui non plus, n'était pas d'accord avec la conclusion du débat. Il but verre sur verre avec son père, en manière de provocation..., avec cette différence que le vieux Donatka avait une endurance bien supérieure. Quand ils parvinrent en vue de la rue Lützmann, M. Donatka voulut prendre encore un petit verre dans le bistrot du coin. Furieuse, Véronique protesta, mais il dit simplement : « Va, ma petite, je te rejoins », sans autrement faire attention

149

à elle. Véronique partit en courant, car elle ne voulait pas montrer à Stani et à Christina qu'elle pleurait.

Christina s'était accrochée au bras de Stani. Quand elle voulut le quitter, devant la porte de la maison, il se tourna subitement vers elle et la pressa contre lui. Son haleine, qui exhalait une odeur de bière, la frappa au visage. Il écrasa ses lèvres sur la bouche de la jeune fille. Prise dans l'étau de ses bras, elle ne bougea pas. Enfin, il s'écarta d'elle et la fixa. La lueur du réverbère lui montra le visage défait de Christina, entouré de la couronne sombre de ses cheveux décoiffés.

— Qu'as-tu ? demanda-t-il, un peu dégrisé.

— Ne recommence jamais, Stani, tu entends ? Jamais, jamais ! Sinon j'exciterai Wolf contre toi !

Elle avait déjà disparu dans l'escalier.

— Ces femmes ! maugréa Stani. Quelles histoires elles font !

Il revint lentement vers le coin de la rue. Quand il poussa la porte du bistrot, un flot de rires et de cris vint à sa rencontre.

Christina se lava les dents en pressant si fortement sa brosse que ses gencives saignèrent. Elle se glissa lentement dans la pièce et commença à se déshabiller dans l'obscurité.

— Je ne dors pas, dit la grand-mère. As-tu encore faim ?

— Non, grand-mère.

— Comment la soirée s'est-elle passée ?

« Ce n'est pas le moment de parler de moi », pensa Christina. Elle dit simplement :

— Janec s'est disputé avec un homme âgé, de l'Association Heimat.

Et elle raconta en détail la scène.

— C'est bien difficile de dire qui a raison, ma

petite. Janec a raison, mais le vieux aussi ; si seulement tout le monde ne voulait pas toujours avoir le dernier mot ! C'est comme un écheveau tout embrouillé. Ce pays est la patrie des Polonais, mais n'est-ce pas aussi la patrie des expulsés ? Le mieux serait que chacun se considère non pas, d'abord, comme un Polonais ou comme un Allemand, mais comme un homme.

— Je ne te connaissais pas sous ce jour, grand-mère. Là-bas, tu n'étais qu'allemande.

— Personne ne peut changer, petite. Mais parfois la peur me saisit, ici, dans cette étroite maison. Finira-t-on seulement par avoir un logement ? Est-ce que je verrai cela, moi ?

— Bien sûr, grand-mère. Tu as attendu près de trente ans. Maintenant, c'est l'affaire de quelques semaines, cela ne compte plus.

— Tu es jeune, petite, tu as encore toute la vie devant toi. Mais que me reste-t-il, à moi ?

Elles se turent toutes les deux et, bien que chacune sache que l'autre ne dormait pas, elles n'osèrent plus se parler ce soir-là.

*
* *

Petit à petit, Christina s'adaptait à la classe. Krause avait essayé par deux fois de la faire passer de son côté, il l'avait même raccompagnée jusqu'à l'arrêt du tram et l'avait invitée à « une partie chez Krause ». Mais Christina avait encore à l'oreille son chant sur la demoiselle qui venait de Pologne. Elle était polie vis-à-vis de lui, mais restait glaciale.

— Elle est aussi froide que le nez d'un chien ! déclara Krause, fort déçu. Et moi qui croyais que les Polonaises avaient du tempérament !

John restait sur la réserve. Il l'aidait quand elle

n'avait pas bien compris quelque chose, il lui prêta même ses cahiers de biologie et de chimie lorsqu'elle voulut savoir ce que la classe avait déjà étudié. Mais, à part sa serviabilité, elle aurait eu bien peu de chose à dire sur lui. Une ou deux particularités peut-être.

Il s'était fait couper les cheveux et paraissait plus viril ainsi. Il avait des mains fines et vigoureuses, il était capable de s'enflammer lorsque, d'occasion, une discussion s'élevait en classe. Il y avait aussi quelque chose qui l'avait beaucoup surprise. Lorsque Brandy avait lu un passage de l'*Antigone* de Sophocle, une lueur soupçonneuse avait brillé dans ses yeux.

Les filles, peu nombreuses dans la classe, étaient correctes avec elle. Pétra et Cornélia étaient toujours l'une à côté de l'autre, et leur complicité paraissait leur suffire. Les cinq derniers faisaient un peu bande à part et se souciaient avant tout de parties et de partenaires. Ils auraient probablement accepté Christina dans leur bande, mais elle avait d'autres soucis.

Christina travaillait dur pour le lycée. Elle avait obtenu des résultats étonnamment brillants en maths, même le premier devoir avait été « assez bien » quoiqu'elle n'eût plus le cahier de Basia à sa disposition !

La dispute la prit à l'improviste.

Le docteur Schmuda sortit un jour une liste de noms de sa serviette et désigna les élèves de la dixième classe qui participeraient au concours du « lycée musical ». Violon : Cornélia Mager. Violoncelle : Dietmar Volkers. Flûte : Hans-Jörg Florin et Christina Bienmann...

Hans-Jörg se dressa d'un bond :

— Pourquoi Christina, monsieur ? Pourquoi sommes-nous deux ?

— Et pourquoi pas ? demanda le docteur Schmuda. Je ne puis me décider : qui dois-je choisir ?

— Il n'y a pas tellement longtemps qu'elle est là. Je ne comprends pas.

— Il faudra que vous vous habituiez au fait que vous avez une concurrente, Hans-Jörg. Vous ne garderez pas la première place aussi facilement que les années précédentes.

— Je rencontre partout cette sotte ambitieuse ! éclata Hans-Jörg.

— Que voulez-vous dire, Hans-Jörg ?

Krause se leva :

— Nous sommes de son avis : Christina trouble le climat de la classe avec son ambition effrénée.

Pétra renchérit :

— M. Pomel m'a encore dit hier : « Comment se fait-il que vous ne puissiez pas faire cela ? Il y en a pourtant d'autres qui le font, par exemple Christina Bienmann. »

— Quand on fait deux devoirs, elle en fait trois ! s'exclama Dietmar. Elle fait tout pour se faire bien voir.

— Voyons, voyons..., dit le docteur Schmuda, stupéfait.

Krause se mit à siffloter :

Dans une petite ville polonaise
Vivait autrefois une demoiselle...

Christina était devenue écarlate, elle aurait voulu se sauver. John Latour se leva à ce moment. Christina vit que ses mains tenaient solidement le bord de la table, cependant que sa voix était étonnamment calme.

— Je trouve que certains d'entre vous sont incorrects. Christina a de la peine et fait des efforts pour atteindre le niveau de la classe, mais précisément il y en a certains qui n'aiment pas que les autres travaillent, comme si le travail avait une mauvaise odeur.

Il se rassit.

— Tu devrais le savoir, si le travail sent mauvais, se moqua Pétra, tu es tout près d'elle.

— Cela sent peut-être l'ail ? maugréa Krause. Sans doute que ces Polacks habitués au froid...

— Il suffit ! intervint sèchement le docteur Schmuda. Krause ! votre ton est déplacé !

La dispute cessa aussi soudainement qu'elle avait commencé. Après le cours, le docteur Schmuda invita Christina et Hans-Jörg à venir le rejoindre dans le couloir.

— Qu'allez-vous jouer ?

— Je choisis la sonate *Capriccio* de Stamitz, dit Hans-Jörg.

— Votre professeur vous l'a conseillée ?

— Oui, il pense que je peux la jouer.

— Je ne puis qu'approuver. Vous prendrez sans doute le deuxième mouvement ?

— C'est son avis.

— Avez-vous la partition ?

— Ma mère me la procurera.

— Et vous, Christina ? dit le docteur.

— Je ne sais pas très bien.

— Que pensez-vous de la petite *Sonate en la mineur* de Bach ? La connaissez-vous ?

— Non, monsieur.

— Eh bien, essayez ! Si vous avez des difficultés, venez me voir, ajouta le docteur en partant.

— Christina, je suis désolé d'avoir été aussi peu maître de moi-même, dit Hans-Jörg.

N'OUBLIE PAS, CHRISTINA...

Christina fut surprise de le voir s'excuser aussi simplement. Elle resta silencieuse.

— Pendant des années, j'ai été sans conteste le meilleur flûtiste. Ma mère veut que je gagne encore cette année.

— Ta mère ?

— Oui. Elle veut que je sois le meilleur. Rien n'est de trop pour y arriver. Elle me paie des cours, elle me procure des partitions, elle me conduit en voiture à mes leçons particulières de flûte. Elle fait tout pour que je sois le premier.

— Et toi, qu'en penses-tu ?

— Cela me plaît aussi. Je vais m'efforcer de te battre. Mais, si tu es la meilleure, je ne pleurerai pas.

— Il faut que je m'achète d'abord la partition. Espérons qu'elle n'est pas trop chère.

— Nous avons certainement la *Sonate en la mineur*. Ma mère fait souvent des photocopies dans le bureau de mon père. Accepterais-tu que je te la fasse photocopier ?

— Volontiers ! dit Christina en riant. Ce sera ta pénitence.

— Voilà la catholique qui reparaît ! dit-il en plaisantant.

— Et pourquoi pas, s'il te plaît ?

Mais la première dispute lui avait suffi et les choses en restèrent là.

Après le cours de musique, cours de mathématiques. A la récréation suivante, personne ne paraissait plus se souvenir de l'incident. Christina se dirigea vers John, qui s'était adossé à un mur et offrait son visage à la chaleur du soleil printanier.

— Merci de m'avoir soutenue tout à l'heure, John. J'avais vraiment besoin d'aide.

— Ça allait de soi, répondit-il.

— Qu'ai-je fait de mal pour qu'ils se soient ainsi tous mis contre moi ?

— Tu n'as rien fait de mal. Ce qui les agace, c'est que tu parviens à t'en sortir dans tes études. Ils voudraient briller, eux aussi. Mais ce qui leur manque, c'est le courage de faire des efforts.

— Mais je ne cherche pas à briller, John ! Je cherche simplement à savoir. Je veux voir ce qu'il y a derrière la façade des choses. En outre, je ne puis me permettre de ne pas réussir en classe et de devoir redoubler. Il est déjà assez dur dans la famille que je ne gagne pas d'argent.

— Où habite ta famille ?

L'adresse de son père lui vint aux lèvres, mais elle préféra dire franchement :

— Dans le foyer de transit de la rue Lützmann.

— Ah ! tu habites là-bas ?

Ils restèrent ainsi, devant le mur exposé au soleil, l'un à côté de l'autre, jusqu'à ce que la cloche sonne la fin de la récréation.

— Krause est stupide ! Ne t'en fais pas à cause de lui.

— Je me demande vraiment si je dois participer au concours du lycée musical.

Il la regarda bien en face :

— Pourquoi réfléchir ? Si tu capitules, ils ne te respecteront pas. Montre-leur ce que tu es, montre les dents.

— Ce n'est pas facile quand on joue de la flûte ! répondit-elle en riant.

Le lendemain, Hans-Jörg apporta la sonate de Bach.

— C'est une belle photocopie, admira Christina. On se rend compte à peine que ce n'est pas l'original. Merci beaucoup.

— Tu sais, dans un bureau d'architecte, on a

besoin d'un appareil de ce genre. Et puis ma mère s'y entend, répondit Hans-Jörg.

Elle choisit la bourrée anglaise et s'exerça si fréquemment sur ce morceau que Stani vint la voir un jour pour lui demander :

— Quel est donc cet air que tu joues constamment ?

Même grand-mère Bienmann finit par lui dire :

— Petite, tu exagères !

Mais Christina ne se laissa pas influencer. Lorsqu'elle prépara sa valise pour les vacances de Pâques, elle y rangea sa flûte en premier.

*
* *

Jeanne était également en vacances. Elle resta un long moment assise à côté de Christina sans mot dire.

— Est-ce que ça ne va pas en classe ? lui demanda Christina.

— Si.

— Et l'allemand ?

— Tu dois bien t'en rendre compte.

— Tu parles bien, beaucoup mieux en tout cas qu'il y a quelques semaines.

— Je sais.

— Qu'y a-t-il alors ? Tu es amoureuse et le garçon ne s'en rend pas compte ?

— Ah ! laisse-moi tranquille !

— Il y a bien quelque chose.

— Bien sûr. Ici, tout est différent de ce que papa m'avait dit.

— On a pourtant tout bien arrangé ici pour nous ?

— Des mots, oui ; avec des mots, on arrange tout.

— Ne sois pas injuste.

— Je m'étais fait une autre idée de la vie ici.

157

— Comment cela ?

— Je ne sais comment m'exprimer ; je croyais que c'était différent.

— Tu t'y habitueras.

— On finit peut-être par oublier l'idéal qu'on s'est forgé.

— Peut-être vaut-il mieux essayer de le rendre vivant ? Je veux dire que nous-mêmes nous devons...

— Tu crois qu'on doit changer ?

*
* *

JEANNE. — Pourquoi suis-je venue en Allemagne ?
J'ai voulu rejoindre mon pays. Tard.

Je pensais sans cesse à mon pays natal. Mais le pays ne juge pas les parents en fonction de leur amour.

Ce qui compte, c'est le salaire, l'avoir, le compte en banque.

Pourquoi suis-je venue en Allemagne ?
J'ai voulu rejoindre mon pays. Tard.

Je me faisais une certaine idée de la langue maternelle.

Mais cette langue a des mots cruels.

«Polack », par exemple.

Pourquoi suis-je venue en Allemagne ?

La froideur coupe la respiration et fait perdre le rire.

« Décampe ! je ne te connais pas. »

Pourquoi suis-je venue en Allemagne ?

Je croyais y voir des hommes et des femmes libres.

Mais ce sont des pantins dont on tire les ficelles.

Chaque soir, trois heures devant le téléviseur.

Je pensais voir des enfants joyeux.

Mais les enfants ne font pas gagner d'argent.

Alors, on a inventé la pilule.

158

N'OUBLIE PAS, CHRISTINA...

Pourquoi suis-je venue en Allemagne ?
J'ai voulu rejoindre mon pays. Tard.
Je pensais y rencontrer des regards plus clairs,
Mais je n'ai vu que de l'avidité.
Le veau d'or est dans chaque œil. Dès l'enfance.
Je pensais à la dignité de l'homme.
Mais, dans les kiosques à journaux, l'infamie se
vend.
Pourriture de la liberté.
Pourquoi suis-je venue en Allemagne ?
J'ai voulu rejoindre mon pays. Tard.
Je croyais à l'avenir de l'homme libre.
Mais le faucon, dans sa mangeoire, a oublié la
liberté et perdu son envol.
Pourquoi suis-je venue en Allemagne ?
J'ai voulu rejoindre mon pays. Tard.
Je pensais trouver Dieu au milieu de son peuple.
Mais Dieu est encore à la recherche des siens.
Il nous cache son visage.
Pourquoi suis-je venue en Allemagne ?
J'ai voulu rejoindre mon pays.
Est-il trop tard ?

*
* *

Dès le lundi de la semaine sainte, M. Bienmann conduisit en voiture les trois femmes dans la maison de vacances. Lui-même ne devait les rejoindre avec Janec que le mercredi suivant. La maison était située sur les hauteurs de la Ruhr, de l'autre côté de la grande ville. Les soixante-cinq chevaux de la Ford avalèrent les lacets sans trop de peine, et M. Bienmann s'arrêta sur le parking devant la maison. Deux étages, une cour intérieure revêtue de pavés. Ils entrèrent par le porche d'une porte monumentale. Dans le petit bureau d'accueil, Christina eut une surprise : par-dessus l'épaule de son frère, elle vit John assis à une table. Il leur jeta un regard rapide et ne la reconnut pas.

— Veuillez remplir cette fiche, s'il vous plaît, dit-il en leur remettant un formulaire d'inscription.

— C'est ce que nous allons faire, monsieur Latour, répondit Christina.

Il la regarda, surpris.

— Christina ! Comment se fait-il que tu sois ici ?

— Je peux te poser la même question.

— Pour moi, c'est facile à expliquer. Je viens ici pour travailler pendant les vacances. Nous attendons aujourd'hui un groupe de rap... (Et soudain il se mit à rire.) Mais c'est vous que nous attendons ! Comment n'y ai-je pas pensé plus tôt ?

Christina présenta John. Wolf vint le flairer et remua la queue. Il y avait longtemps qu'il connaissait l'odeur du jeune homme. John les aida à sortir les bagages de la voiture et leur indiqua leurs chambres.

— Que c'est beau, ici ! s'exclama Christina en voyant les pièces claires et joliment meublées. Ici, on peut vivre dans le calme ; on s'y sent bien.

Ce fut l'impression de chacun au cours des jours suivants : tout le monde se sentait bien dans cette maison. Deux autocars arrivèrent l'après-midi et les pièces furent occupées l'une après l'autre, mais cela faisait une tout autre impression que dans la rue Lützmann. Les enfants avaient de l'espace pour jouer dans le parc et une grande maison offre de nombreuses possibilités de jeux.

Stani se joignit à un groupe qui décorait des assiettes de couleurs vives. Sur un fond ocre, Stani avait peint un paon bleu et vert qui déployait sa roue. Après la cuisson, les couleurs brillaient presque autant que de l'émail. Chacun admira l'œuvre de Stani.

— Tu devrais peindre plus souvent, lui conseilla Christina.

— Est-ce que l'assiette te plaît vraiment ?

— Mais oui. Je n'aurais jamais cru que des mains rugueuses de maçon puissent faire quelque chose d'aussi beau.

Le garçon rayonnait.

— Et que font les autres ?

Christina alla avec lui dans une autre pièce, dans laquelle John décorait des œufs avec les enfants de Mme Bronski et quelques autres femmes. Stani resta longtemps à côté de John pour regarder comment il enlevait, à petits coups d'aiguille, la couleur sombre peinte sur la coquille, pour faire apparaître des lettres blanches.

— Est-ce que cet œuf sera pour Christina ? demanda-t-il avec méfiance.

— Qu'est-ce qui te fait penser cela ?

— Tu es en train d'écrire son nom.

— Son nom ?

— Regarde, tu as commencé : Christi...

John regarda ce qu'il avait écrit.

— Ça pourrait être juste, mais il y a longtemps que je sais que Christina s'écrit avec K (1) ; ce que j'ai l'intention d'écrire c'est : *Christ ist erstanden*, le Christ est ressuscité.

Stani fut satisfait de cette explication.

— Et tu crois vraiment ce que tu écris ?

— Si je n'y croyais pas, j'aurais plutôt dessiné une cloche pascale !

L'après-midi, ils firent une excursion à la villa

---

(1) En allemand, on écrit : Kristina.

« Hügel ». M. Bienmann et Janec arrivèrent juste à temps pour y participer.

— C'est un des palaces de la famille Krupp, expliqua John, situé dans un parc immense, planté d'arbres rares.

— Les Krupp permettent donc qu'on visite leur maison ? s'étonna Christina.

— C'est même souhaité. On y tient des expositions, nous allons voir des objets venant de Pompéi, la ville engloutie.

Le soleil brillait ; du café dominant le lac Baldeney, on avait une vue superbe sur la vallée. Ils avaient pris place autour des tables par petits groupes et commandèrent café et gâteaux. John s'étonna soudain :

— Pourquoi les enfants sont-ils si sages ?

— Parce qu'ils ne sont pas à l'aise, répondit Stani. C'est comme Wolf. Regarde un peu comme il se cache sous la table, sans même remuer la queue. Le garçon en uniforme et tous ces tapis... Les enfants n'ont pas l'habitude.

Janec poursuivit :

— Et les adultes se sentent mal à l'aise eux aussi, ils ne veulent pas se faire remarquer, ils font taire les enfants.

— Et vous ? demanda John.

— Eh bien, tu sais, dit Stani avec un rire forcé, j'ai peur de faire une tache sur la nappe !

— Ce n'est pas facile pour vous de vous faire à cette nouvelle vie !

— Et c'est encore plus difficile pour les enfants, déclara Christina.

— Je croyais que c'était au contraire plus facile pour eux !

— Mais non ! Ceux qui sont nés après 1950 parlent à peine un mot d'allemand.

N'OUBLIE PAS, CHRISTINA...

— Il faudrait que vous sortiez du foyer de transit. Les gosses ne parlent que le polonais, il faudrait qu'ils vivent avec des personnes ne parlant qu'allemand.

— Il y a beaucoup de personnes qui sont heureuses de pouvoir rester au foyer de transit, déclara Christina. Ces gens-là sont entre eux. Sans doute se disputent-ils parfois, mais au moins ils se disputent dans une langue qu'ils comprennent. Ils se connaissent, ils se disent bonjour, ils fêtent ensemble leurs grandes fêtes.

— Et le loyer n'est pas cher, ajouta Stani.

— Il n'y a pas que cela. Grand-mère ressent la même chose : il y a tellement de froideur en Allemagne. Dans une maison où il y a beaucoup de locataires, on se connaît à peine ; chacun ne s'occupe que de soi. Et quelqu'un qui parle avec un aussi fort accent que nous est forcément isolé. Demande à ma mère, elle pourra te le confirmer. Elle ne se fait aucune relation dans son immeuble.

— Vous ne devriez pas habiter une grande ville. Tu vois, Christina, je viens tous les jours au lycée avec le train, il y a trente kilomètres de trajet. Mais chez nous tout est différent.

Christina réalisa à ce moment combien elle connaissait peu John.

— Il n'y a pas de lycée dans ta ville ?

— C'est une toute petite ville, Christina, mais au moins les gens s'y connaissent. Il n'y a que six ans que ma famille s'y est installée, parce que mon père avait trouvé un poste à l'hôpital. Aujourd'hui, pourtant, nous y sommes chez nous.

— Alors, tu peux peut-être comprendre comment nous vivions en Pologne ; c'est ce que nous retrouvons encore un peu au foyer de transit, ajouta-t-elle doucement.

— Moi, la grand-ville me paraît très belle, au contraire, déclara Stani. Mes camarades de travail sont des gens formidables. Bien sûr, ils m'appellent « fils de Pologne », mais je ne m'en fais pas pour si peu. Et après le travail, quand je me promène dans les rues et que je vois les vitrines...

— Et quand tu vois des voitures neuves dans une vitrine, spécialement une Porsche..., le taquina Christina.

— Je ne peux pas encore m'acheter une Porsche. Mais peut-être, un peu plus tard, une Volkswagen...

— Tu économises déjà sur l'argent du coiffeur ! (Christina avait remarqué que Stani, malgré les colères de son père, ne s'était pas encore une seule fois fait couper les cheveux.)

— C'est ça, la liberté ! déclara Stani, péremptoire. Personne ne me prescrit quelle longueur doivent avoir les cheveux. Et on a le droit de placer des posters au-dessus de son lit, on peut rouspéter contre le gouvernement, on peut fumer si on en a envie et jeter les mégots par terre.

John le regarda d'un air moqueur.

— Tu crois vraiment que c'est ça, la liberté ?

— A ton avis, la liberté, c'est quoi ?

— La liberté, c'est l'absence de crainte, par exemple, l'absence de violence, l'absence d'anarchie.

— D'accord, approuva Stani. Là, je t'approuve.

— Quand je pense au petit Waclaw Bronski, dit Christina, le fils de notre voisine, tu sais, le garçon sauvage qui était près de toi hier et qui décorait des œufs, eh bien, lui, il a bien peu de cette liberté. Il a peur à l'école, parce qu'il ne comprend pas l'instituteur. Et celui-ci croit peut-être que l'enfant est sourd, c'est pourquoi il vocifère. Il a peur de son père, parce qu'il le bat lorsqu'il apprend que ça ne marche pas à l'école. L'enfant vit entre deux craintes.

N'OUBLIE PAS, CHRISTINA...

— Ne peut-on pas l'aider ? demanda John.

— Comment cela ?

— Eh bien, en l'aidant à faire ses devoirs, par exemple.

— Il y en a tellement qui sont dans son cas, John !

— C'est vrai. Mais tu pourrais peut-être en aider quelques-uns qui habitent près de toi.

— Et toi ? Tu pourrais t'y mettre, se rebiffa-t-elle.

— Et moi ? (Il réfléchit un moment.) C'est vrai, je pourrais m'y mettre.

*
* *

La célébration du jeudi saint eut lieu dans une petite chapelle. Le prêtre qui célébrait l'avait préparée avec un petit groupe, auquel s'étaient joints Christina et John. Janec les avait suivis par hasard et avait participé à la réunion.

Bien qu'il ait admis plus tard que les cérémonies l'aient profondément touché, Janec ne participa pas aux offices des autres journées.

— Pour un peu, je me laissais embobiner ! lâcha-t-il.

Il se lança dans une grande discussion avec John.

— Ce que raconte la Bible, c'est quand même pas possible ! L'histoire de Jonas dans le ventre du poisson, l'histoire des murailles d'eau dans la mer Rouge, l'histoire des trois Rois mages.

John lui dit avec un sourire :

— Tu me fais penser au vieux comte !

— Quel vieux comte ?

— C'est une histoire que racontait le célèbre dessinateur Gulbranson.

— Raconte ton histoire, ça me plairait de me voir en comte !

John ne se fit pas prier.

— Le vieux comte était malade et il était alité depuis des semaines. Son médecin lui avait formellement défendu de fumer. Cependant, après la visite de son docteur, chaque jour, le comte se permettait de fumer un de ses cigares favoris, des havanes. Et, à chaque fois, c'était une grande cérémonie.

» Son domestique lui présentait la boîte à cigares sur un plateau.

» — Lis maintenant ! lui ordonnait le comte.

» Le domestique prenait la Bible familiale et en lisait une page. Puis il s'arrêtait. Le comte le regardait et lui demandait :

» — Est-ce que tu y crois, Franz ?

» — Non, monsieur le Comte, répondait invariablement le domestique.

» — Alors, arrache la page, mon fils.

» Franz arrachait la page, la pliait soigneusement en quatre, l'enflammait à la flamme d'un cierge et l'approchait du cigare. Le comte exhalait de longues bouffées avec puissance, sans plus se soucier de son médecin.

» Au cours de sa longue maladie, il fuma les cinq livres de Moïse et réduisit en cendres les livres de Josué, les Juges et Ruth. Les livres de Samuel, des Rois, Esther, Job. Les Psaumes et les Proverbes du dévot roi Salomon se transformèrent aussi en nuages de fumée.

» Il éprouva une jouissance particulière à la lecture du livre de l'Ecclésiaste, qui lui parut spécialement écrit à l'intention des fumeurs : « Fumée, fumée, dit Qohélet, tout n'est que fumée. Que reste-t-il à l'homme de toutes ses richesses, pour lesquelles il se donne tant de mal sous le soleil ? » Ce fut la seule page de la Bible que le comte se fit lire deux fois avant de la faire enflammer, comme pour donner raison au prophète.

» Après trois ans et cent huit jours, ils arrivèrent au Nouveau Testament et, après une nouvelle année, le domestique lut les derniers mots de l'Ecriture : *Le témoin de ces paroles l'affirme : je viendrai bientôt. Amen. Oui, viens, Seigneur Jésus. La grâce de Notre-Seigneur soit avec tous les saints. Amen.*

» — Crois-tu cela, Franz ? demanda le comte en tendant déjà avec avidité le bout de son cigare.

» — Il se pourrait bien qu'il y ait quelque chose de juste là-dedans, monsieur le Comte. Je pense que nous serons bientôt fixés : nous sommes déjà tellement vieux, monsieur le Comte !

» Le havane fut bientôt allumé lui aussi à la flamme de la dernière page de la Bible, mais, après en avoir tiré quelques bouffées, le comte reposa son cigare sur sa tablette en grognant de colère :

» — Tu m'as gâté le plaisir, canaille !

— C'est une drôle d'histoire, dit Janec, mais je ne vois pas le rapport avec moi.

John le regarda d'un air entendu et répondit en souriant :

— Toi aussi, tu as arraché ta Bible page par page, parce que tu ne pensais pas que derrière la vérité des faits il y avait une tout autre vérité.

— Ne parle pas par énigmes !

— Eh bien, il est possible que pas une ligne de l'histoire de Jonas ne se soit réellement passée. Mais n'est-il pas vrai que l'homme est en fuite devant Dieu ? Et ne tombe-t-il pas finalement dans l'obscurité ? Et, même là, la main de Dieu ne le protège-t-elle pas ?

— Je te comprends, John. Mais il faudrait que ça m'entre dedans ici, fit-il en se frappant la poitrine.

Puis il se leva et partit.

N'OUBLIE PAS, CHRISTINA...

*
* *

La célébration de la vigile pascale émut profondément Christina. La célébration du feu auquel on allume le cierge pascal, magnifique colonne de cire, décorée des plaies du Christ et des signes de son triomphe : Alpha et Omega, le commencement et la fin. La chapelle était dans l'obscurité complète lorsqu'on y introduisit la minuscule flamme, afin que la lumière domine les ténèbres de la nuit. « Lumen Christi », chanta le prêtre. Sa voix retentit claire et sonore, « Lumière du Christ ! » et la flamme se répandit de main en main, de cierge en cierge. Bientôt la chapelle brilla de cent lumières.

Après l'office, ils restèrent longtemps dans la salle de séjour. Janec avait allumé un feu dans la cheminée. Il s'activait autour de la flamme lorsque Christina vint lui souhaiter :

— Joyeuses Pâques !

Il se retourna et elle lui mit les bras autour du cou.

— Joyeuses Pâques, grand frère répéta-t-elle.

— Joyeuses Pâques, *malenka* (1), lui chuchota-t-il à l'oreille.

La sœur cuisinière apporta des saucisses avec quelques bouteilles de vin. Wolf, qui se promenait de table en table, fut gâté.

— Ne lui donnez plus rien ! supplia Christina, il devient gras et paresseux.

Stani s'approcha de Christina en tenant quelque chose caché derrière son dos.

— Joyeuses Pâques, lui souhaita-t-il en lui offrant l'assiette au paon.

— Oh ! Stani ! je ne peux pas accepter, se récria-t-elle.

_____

(1) Petite.

N'OUBLIE PAS, CHRISTINA...

— Tu trouves que ce n'est pas assez bien ?

— Mais si, *durna malpa* (1) !

Et elle lui prit le cou pour l'embrasser.

— Et qui va m'embrasser, moi ? demanda John.

Il tenait entre le pouce et l'index un œuf magnifiquement décoré.

— C'est pour moi ? demanda Christina.

— Oui, je l'ai fait pour toi.

Elle le prit. Sur un fond rouge sombre, il avait finement ciselé les lettres *Wesolych Swiat*, Joyeuses Pâques, en polonais.

— Est-ce que tu vas m'embrasser ? pria-t-il.

— Mais non ! Tu sais bien ce que chante Krause sur la *Demoiselle de Pologne* :

> *Mais non, mais non, dit-elle,*
> *Je n'embrasse jamais.*

**

— Enfin, j'y suis ! dit Stani, la semaine après Pâques, en frappant de la main la pochette de sa chemise.

— Qu'est-ce qu'il t'arrive ? demanda Christina.

— Tu verras bien, dit-il en riant. Viens avec moi.

— Je n'ai pas le temps, Stani. Je n'ai pas encore soufflé une seule note aujourd'hui, et le concours est dans quinze jours.

— Une petite heure seulement, pria-t-il. Viens, Christina, tu auras une surprise.

Elle vit combien il était impatient et combien il espérait qu'elle l'accompagnerait.

— C'est bon ! fit-elle en rangeant ses livres et en

---

(1) Vilain singe.

prenant son anorak. Il faut sortir le chien, alors je viens.

Elle tenait Wolf en laisse ; Stani marchait à grands pas et elle avait de la peine à le suivre sans courir.

— Est-ce que tu te rappelles le jour où nous avons planté des arbres, Janec, toi et moi ?

— Naturellement, je m'en souviens. Mais ne cours pas si vite ! Je suis déjà hors d'haleine.

Il se moqua d'elle.

— Tu joues de la flûte et tu manques de souffle ? Ça ne va pas ensemble !

— Est-ce que tu veux encore planter des arbres ? Pourquoi faut-il que je me rappelle notre week-end là-bas ?

— Attends un peu, tu vas comprendre.

Ils prirent le tram pour se rendre au centre de la ville. Lorsque Stani acheta les tickets, Christina remarqua qu'il avait une liasse de billets de dix marks dans la pochette de sa chemise.

— Souviens-toi de notre soirée dans le hall de la Maison des Jeunes. Te rappelles-tu ce que Janec avait sorti de son sac ?

Alors, soudain, la scène lui revint à l'esprit : Janec avait montré le cadeau de son père, un poste de radio. « Il a seize transistors », avait-il fièrement annoncé, et garçons et filles s'étaient assemblés autour de lui, admiratifs. Janec avait été la vedette de la soirée. Toutes les filles avaient voulu danser avec lui. Christina comprit alors où Stani voulait en venir ! il désirait s'acheter un poste à transistors.

— Tu sais que toutes les filles voulaient en avoir un ?

Elle haussa les épaules.

— Je me rappelle encore très bien ce que Clara s'est exclamée. Cette fois-là, elle a dit : « Il est for-midable, ce Janec ! »

N'OUBLIE PAS, CHRISTINA...

— Et maintenant, tu veux devenir toi aussi quelqu'un de formidable ! se moqua Christina.

— Je n'en sais rien. En tout cas, je vais en acheter un.

Il se dirigea sans hésiter vers un grand magasin de téléviseurs et de postes de radio et contempla la vitrine.

— Voilà celui que je veux, dit-il en montrant un appareil aux chromes brillants, muni de nombreuses touches.

— Mais il coûte trois cent quatre-vingt-cinq marks, dit Christina, effrayée.

— Ça ne fait rien, viens !

Il poussa la porte.

— Vous désirez ?

Un jeune vendeur, dont le visage disparaissait sous une abondante barbe blonde, se hâta vers eux.

— Je voudrais acheter un transistor.

— Suivez-moi à notre rayon Radio, s'il vous plaît.

En entendant l'accent étranger de Stani, un homme âgé, qui était penché sur ses livres de comptes, redressa la tête. Il se leva lourdement et suivit Stani et Christina.

— Avez-vous fixé votre choix sur un appareil ? demanda le vendeur.

— Oui, je voudrais celui à trois cent quatre-vingt-cinq marks, qui est exposé en vitrine.

— Un bon appareil, approuva le vendeur.

— Laissez-moi m'occuper de cette affaire, monsieur Verhoven, intervint le monsieur âgé, derrière Christina.

— Comme vous voudrez, patron, répondit le vendeur en s'écartant.

Par-derrière, il fit un clin d'œil complice à Christina, qui n'y comprit rien.

— Nous venons de recevoir un nouveau modèle,

qualité hi-fi, vraiment ce qui se fait de mieux, dit le vieux monsieur à Stani. (Il prit sur une étagère un bel appareil qu'il posa sur le compoir.) Il vaut cinq cent vingt-cinq marks, comptant.

Stani fit un timide effort pour le freiner :

— Je pensais plutôt acheter...

— Regardez les antennes ! Elles donnent un son très puissant. L'appareil fonctionne sur piles ou sur secteur, ajouta-t-il en manœuvrant les boutons chromés.

— Oui, bien sûr, mais je voulais acheter l'appareil en vitrine, celui qui coûte trois cent quatre-vingt-cinq marks.

— C'est un bon appareil, mais d'un niveau inférieur. Je vous donne un conseil, messieurs-dames, choisissez bien. Vous achetez un transistor pour des années. Après deux ou trois semaines, vous ne penserez plus aux cent quarante marks que vous aurez dépensés en plus, mais la qualité du transistor fera votre joie.

— Oui, c'est vrai, marmonna Stani, et il commença à examiner l'appareil devant lui.

» Il est bien, hein ? dit-il à Christina. Il est vraiment bien, ajouta-t-il en l'écoutant fonctionner.

— As-tu suffisamment d'argent ? chuchota Christina.

L'enthousiasme de Stani disparut aussitôt :

— Non, répondit-il.

— Est-ce que cela vous gêne ? demanda le monsieur avec un sourire.

Mais Christina remarqua que ses yeux restaient froids.

— Vous pouvez me payer les trois cent quatre-vingt-cinq marks que vous avez et le reste en petites mensualités faciles, disons trois fois cinquante-cinq **marks.**

N'OUBLIE PAS, CHRISTINA...

— Mais cela fait vingt-cinq marks de plus, protesta Christina.

— L'argent revient cher, mademoiselle, très cher. Je vous avais d'abord indiqué le prix comptant.

Quand il vit que Stani hésitait, il posa une paire de piles sur le comptoir.

— Je ne vous compterai pas ces piles.

— Si vous pensez que ça va ainsi, dit Stani. Cinquante-cinq marks par mois, ce n'est pas terrible.

— Vous voyez bien ! dit le monsieur. Hé ! monsieur Verhoven, venez, s'il vous plaît. Faites un contrat pour le solde à crédit.

Il se retira derrière son bureau avec un sourire satisfait.

— Est-ce vraiment un bon appareil ? demanda Christina avec méfiance.

— Voyons ! répondit froidement le vendeur, c'est un appareil au sommet de la gamme.

Il établit le contrat de vente à crédit et Stani le signa après y avoir jeté un coup d'œil distrait. Il reçut une copie.

— Est-ce que je vous l'emballe ? demanda le vendeur.

— Ce n'est pas la peine ! répondit Stani.

Il paya les trois cent quatre-vingt-cinq marks comptant et le vendeur lui remit un reçu. Non loin de l'immeuble de la Télévision, la rue s'élargissait et formait une petite place, ornée d'un parterre de primevères bleues et jaunes, avec quelques bancs. Quelques personnes âgées se reposaient en profitant des chauds rayons du soleil printanier.

— Asseyons-nous, dit Stani, et sans réfléchir il cueillit deux primevères, en tendit une à Christina et passa l'autre sous le collier de Wolf.

— Ecoutez, jeune homme, où irions-nous si tout

le monde ici cueillait les fleurs des massifs ? intervint un homme âgé en le fixant d'un air réprobateur par-dessus ses lunettes.

Sans répondre, Stani tira l'antenne de son poste et mit l'appareil en fonctionnement. La retransmission était vraiment parfaite.

— On peut recevoir n'importe quel poste ! expliqua Stani, rayonnant, à Christina.

Elle fut gagnée par sa joie et battit la mesure du pied. Stani mit l'appareil plus fort. Même alors, l'oreille exercée de Christina ne parvint pas à déceler la moindre fausse note.

— C'est vraiment formidable ! dit-elle.

Stani regarda autour de lui et le sourire disparut de ses lèvres lorsqu'il se rendit compte que les autres personnes le regardaient d'un air furieux.

— C'est inouï ! lança avec colère le monsieur qui était assis à côté d'eux sur le banc. Aujourd'hui, ces canailles peuvent se permettre tout ce qu'ils veulent. Et la police ne fait rien !

Il se leva et partit.

Il fallut un moment à Christina pour réaliser qui étaient « ces canailles ».

— Baisse le son de l'appareil, Stani.

— Ça ne me dérange pas !

Un couple de jeunes gens était assis sur le banc en face d'eux. Ils se levèrent. Les vêtements de cuir que portait l'homme moulaient étroitement son corps.

— Tu as une sacrée boîte ! dit-il.

— C'est un modèle très perfectionné, répondit fièrement Stani.

— Mais tu le fais marcher trop fort, mon garçon. Je n'arrive pas à entendre ce que ma Lotte me dit à l'oreille. (Il rit en prenant la taille de la jeune fille qui l'accompagnait.) Allez, baisse le son de ton appareil ! ordonna-t-il brusquement.

— Et pourquoi, s'il te plaît ?

— Baisse le son, Polack, sinon je cogne.

Stani arrêta l'appareil et le tendit à Christina. Puis il se leva. Il était nettement moins grand que le jeune homme en vêtements de cuir, bien qu'il fût aussi large que lui. Christina n'eut pas besoin de réfléchir très longtemps pour comprendre ce qui allait se passer.

— Je jette ton poste par terre, si tu ne me suis pas immédiatement ! le menaça-t-elle.

Stani se retourna. Il était terriblement déçu et ne réagit même pas lorsque l'autre fille se moqua de lui :

— Ecoute ce que dit ta maman ; comme ça, tu ne te feras pas abîmer la figure !

— Tu aurais pu lui lancer Wolf dessus ! reprocha Stani, amer.

— Il faut toujours que tu cherches querelle à quelqu'un !

Avec son dernier billet de dix marks, Stani paya les tickets pour le retour. Il ne desserrait pas les dents.

— Stani, comment se fait-il que tu aies eu tout cet argent aujourd'hui ?

— C'était la paie. Je l'ai bien gagné.

— Tant que ça ?

— Pour la plus grande partie, du moins.

— Et le reste ?

— Tu es curieuse comme toutes les femmes. Mais si tu veux le savoir, eh bien, j'ai vendu mon carillon à un collègue de travail. Il m'en a donné cent marks. Heureusement qu'il n'est pas parti pour quelques zlotys seulement à Skoronow !

— Quoi ? L'horloge de ta mère ?

175

— Que voulais-tu que j'en fasse ? Je pensais que ce machin — il souleva le transistor — que ce machin serait plus intéressant. Et personne ne veut s'y intéresser. Comprenne qui pourra !

Ils descendaient du tramway. Stani portait son appareil sous le bras sans lui accorder beaucoup d'égards.

« Il a vendu Skoronow », pensa Christina. Pour la première fois elle eut conscience d'avoir pitié de lui. Ce n'était que de la pitié. Rien de plus.

*
* *

STANI. — Je m'étais mis en tête de l'acheter, ce transistor ! Cinq cents marks ou plus, qu'est-ce que cela peut faire ? Je fais déjà des économies. C'est pourtant un bel appareil. En Pologne, tout le monde l'aurait admiré. La grosse Basia la première. Quant à André, le poète, il en aurait été vert de jalousie. Et pourtant Basia me laisse froid. Elle ne comprendra jamais que ses soixante-cinq kilos, pourtant bien répartis, me laissent froid. Et quand je pense aux yeux de biche de Clara ! Elle se serait sûrement suspendue à mon transistor, tout près de moi. Choléra ! Je me moque de Clara. Même Léocardia, et ses cigarettes, ne m'intéresse pas.

C'est Christina que je voudrais, mais elle ne me comprend pas. Elle est aimable, bien sûr, mais je me fiche de son amabilité. Du moins, je m'en fiche, si ça doit rester au stade de l'amabilité.

Ces jours-ci, il y avait une grosse mouche chez nous, une vraie folle. Elle se cognait constamment contre les vitres. Véronique a fini pas ôter les rideaux. La mouche faisait des cercles et puis se jetait sur la vitre. Moi, je suis pareil J'essaie de penser à autre chose, mais j'en reviens toujours à Christina.

L'alcool, c'est bon quand on souffre. Cela rafraîchit et l'on se sent mieux à l'intérieur. Par exemple, après la soirée avec l'Association du Pays Natal, ce que j'ai pu avoir peur ! Pourtant, sur le chantier, un vieil ouvrier m'avait bien dit que les femmes sont toutes à faire tomber. Le vieux con ! D'abord, ces neuf bières pour me lancer. Et ensuite, quel échec ! J'ai dû encore m'envoyer trois bières. Je vous le dis : ça rafraîchit.

Ensuite, l'affaire du transistor. Elle est venue avec moi. Mais rien de plus. Ça avait pourtant bien commencé. Quand j'ai posé les trois cent quatre-vingt-cinq marks sur le comptoir ! Elle m'a drôlement regardé ! Elle ne croyait sûrement pas que c'était possible ! Mais, là encore, ce fut tout. Et maintenant j'ai mis le poste devant moi et il me rappelle seulement les trois mensualités que je dois. J'y arriverai bien. Mais je suis déçu. Avec l'auto, tout le cinéma que j'ai pu me faire ! Je lui tiens la portière ouverte et je lui dis : « Montez, mademoiselle, je vous prie. » Ce pourrait être une belle voiture. Bien sûr, elle y montera, elle sera peut-être même contente, sûrement contente même. Comme lorsque je lui ai offert l'assiette avec le paon. De la joie, oui, mais rien de plus. Ce que m'a dit le vieux, c'est faux. « On peut tout acheter », disait-il. Cela me fait rire, il ne connaît pas Christina.

Je suis un malchanceux. Véronique dit que ça vient de mon horoscope. Et mon père qui a toujours voulu passer à l'Ouest ! Ma mère est morte quand j'avais douze ans.

Mon père est furieux lorsque je dis : « Hé ! encore une blonde ! L'alcool rafraîchit. » Le vieux devrait

177

pourtant savoir que je ne suis ici qu'un Polonais, avec un nom idiot.

Je trouverai sûrement quelque chose d'autre pour Christina, lorsqu'elle se rendra compte que son John n'est qu'une grenouille de bénitier ! De même que toute la clique instruite de sa classe. Alors, elle verra bien que Stani c'est du solide ! Qu'est-ce qu'elle m'a dit ? « Avec ton transistor ou ta voiture, tu seras toujours le même, Stani. »

*
* *

Christina venait à peine de refermer la porte de l'étage lorsqu'elle entendit des voix : grand-mère avait de la visite. Elle ouvrit la porte de l'appartement.

— Comment, c'est toi, John ?

Elle regarda avec gêne autour d'elle, mais put constater que la pièce était parfaitement en ordre. Et ce n'est pourtant pas facile quand on ne dispose que de deux mètres soixante-dix sur trois mètres cinquante.

— Est-ce que cela te contrarie, que je vienne ici ? demanda John.

— Pas du tout ! Mais pourquoi ne m'en as-tu rien dit ce matin au lycée ?

— Parce que je ne savais pas encore que j'allais rater mon train !

— Tu es pourtant sorti en même temps que moi.

— Oui, mais devant la gare j'ai rencontré par hasard Mme Bronski, avec son fils Waclaw : « Est-ce que vous ne pouvez pas m'aider pour mes devoirs, s'il vous plaît, monsieur John ? » m'a demandé le gosse. C'est ce qui m'a décidé.

— Comment dois-je comprendre cela ?

N'OUBLIE PAS, CHRISTINA...

— Offre donc d'abord une tasse de café à M. Latour, voyons, intervint grand-mère.

— Tu en veux ?

— Oui, ça me ferait du bien.

— Nous avons encore du gâteau de dimanche.

John se servit copieusement.

— Il est vraiment bon et j'ai rudement faim.

— Votre mère sait-elle que vous rentrerez plus tard ? s'inquiéta grand-mère.

— Oui, naturellement. J'ai déjà téléphoné à mon père à l'hôpital.

— Raconte maintenant ce que tu as en tête, réclama Christina.

— Je voulais t'en parler seulement quand tout aurait été clair. Mais il est peut-être bon que tu saches dès maintenant ce que nous envisageons de faire. Nous, ce sont quatre lycéens de notre petite ville et moi-même.

— Eh bien, ce doit être la vingt-septième invitation que je reçois pour une partie ! s'exclama Christina en riant.

— Tu te trompes, c'est peut-être une invitation, mais pas à une partie. J'ai parlé à mes amis des problèmes qui se posent rue Lützmann. Et je leur ai dit qu'on pourrait aider les enfants à faire leurs devoirs.

— Et ils ne se sont pas moqués de toi ?

— Non, pas du tout. Au contraire, ils ont promis de m'aider, chacun un après-midi par semaine.

— C'est plus vite dit que vite fait.

— Bien sûr, concéda-t-il. Il y a des difficultés.

— Ah ! tu vois.

— Mais tu peux les résoudre.

— Moi ?

— Oui, toi. En effet, nous voulons venir ici en

équipe de deux, le lundi, le mercredi et le vendredi.

— Et alors ?

— Eh bien, pour le vendredi, il nous manque le sixième équipier. Et je pensais que, comme tu n'as pas cours le vendredi après-midi...

Christina se mit à rire.

— Est-ce de cette façon que tu as circonvenu tes amis ?

— Je ne voulais pas te circonvenir.

— Tu as gagné, dit-elle. C'est entendu, j'accepte.

— Pour au moins six mois ?

— Pour au moins six mois.

— Et où ferez-vous cela, intervint grand-mère, si je peux vous poser cette question ? Dans quelle pièce ?

— Nous avons pensé que ce serait possible ici, dans l'immeuble. N'importe où.

— C'est exclu ! répondit grand-mère. Dans cette maison, les gens sont beaucoup trop les uns sur les autres. Dans chaque pièce, à chaque étage, il y a beaucoup trop de monde et beaucoup trop de bruit. Ici, votre projet n'est pas réalisable.

— Il y a une table dans chaque pièce, et juste une chaise pour chaque personne qui y habite, ajouta Christina.

John se tut, embarrassé.

— Il y a peut-être un espoir, dit grand-mère, voyez le vicaire.

— Vous pensez qu'il pourra nous conseiller ?

— Pourquoi pas ?

— Est-ce qu'il habite loin ?

— Il ne faut pas dix minutes pour aller à Saint-Boniface, répondit Christina.

— Allons-y. Prenons le taureau par les cornes !

Mais le taureau n'était pas chez lui. Ils s'assirent sur les marches de l'escalier et attendirent. Enfin, la porte d'entrée grinça et quelqu'un commença à monter les escaliers quatre à quatre.

— Ce ne peut être que le vicaire ! chuchota Christina.

— Tiens, une visite ! s'exclama-t-il, tout essoufflé. Entrez donc.

Il ouvrit la porte de son appartement.

— Voulez-vous du café ?

— Non, merci, dit John. Je viens d'en prendre chez Christina.

— Vous êtes sûrement son frère Janec ?

— Non, je suis John Latour.

Ils s'assirent tous les trois. Le vicaire prit une cigarette et la fuma en courtes bouffées rapides.

— Où est-ce que cela brûle ? demanda-t-il.

— Dans la rue Lützmann, répondit John.

— Là-bas, c'est permanent, grommela le prêtre.

John lui exposa leurs projets.

— Mais nous ne pourrons rien faire, si vous ne nous trouvez pas un local.

— Un local ? On devrait pouvoir en trouver un.

Il se dirigea vers son bureau et décrocha le téléphone. Il se ravisa soudain et se tourna vers les jeunes gens.

— Est-ce que vous n'allez pas vous dégonfler et tout laisser tomber dans quinze jours ?

— Nous avons bien réfléchi, dit posément John. Nous nous sommes engagés pour un minimum de six mois.

— Ça paraît raisonnable.

Le vicaire composa un numéro sur le cadran.

— Monsieur le Recteur Robos ? Ici l'abbé Schäpertönnes. J'aurais besoin d'une salle de classe.

Et il expliqua pourquoi en peu de mots.

— Ah ! ce n'est pas possible ?... Responsabilité civile... Et l'Inspection dira sûrement non. Oui, je n'y pensais pas. Et le règlement sanitaire. Oui, c'est dommage, mais il n'y a rien à faire. Bon, tant pis.

L'abbé raccrocha, puis appela la Maison des Œuvres. Réponse négative : ils avaient déjà eu une mauvaise expérience de ce genre. Il fit encore le numéro du Service social. Occupé. Le bureau de la Caritas, le jardin d'enfants...

— Merde ! lâcha le vicaire...

Il alluma une nouvelle cigarette. Il contempla le crucifix au-dessus de son prie-Dieu.

— C'est à toi d'agir, maintenant, j'y perds mon latin.

A ce moment précis retentit la sonnerie du téléphone.

— Allô ? Comment, c'est vous, monsieur Robos ? Oui, c'était occupé ; je n'arrête pas de téléphoner depuis une demi-heure. Comment ? Combien d'enfants y aura-t-il ? Attendez.

Il regarda John, qui haussa les épaules.

— On en réunira bien une douzaine, dit Christina.

— Entre dix et quinze enfants. Oui, avec de vieux bancs et un tableau de l'école. Bien sûr, ça suffira... C'est magnifique ! Monsieur Robos, naturellement, je vais vous voir pour les détails...

Il reposa le combiné et contempla pensivement son crucifix.

— On ne le croira pas ; des choses comme ça n'arrivent que dans les romans.

— Qu'y a-t-il ? demanda John, impatient.

— M. Robos a fait construire une maison familiale, non loin d'ici, dans laquelle il y a un grand sous-sol. Il y a une salle accessible de l'extérieur, avec deux petites fenêtres et des tubes au néon. Il vous prêtera la salle aussi longtemps que vous n'y ferez pas de bêtises.

— Magnifique ! s'exclama Christina.

N'OUBLIE PAS, CHRISTINA...

— Heureusement que j'ai raté mon train aujourd'hui, ajouta John.

— Parfait. Mais essayez de mettre rapidement votre affaire en route.

Christina était heureuse.

— Voilà les catholiques qui reprennent le dessus, se moqua John. Le plus vite possible, et le plus d'enfants possible.

— Fils incrédule ! menaça le vicaire en souriant.

Il chercha son agenda et le feuilleta rapidement :

— Voyons, mercredi à seize heures, ce serait possible. Qu'en pensez-vous ? Je vous accompagnerai chez M. Robos. C'est un brave homme, mais il faudra que vous vous tiriez d'affaire tout seuls.

De la cabine téléphonique, sur la place de l'église, John appela de nouveau son père pour lui annoncer qu'il prendrait le train de vingt-deux heures dix.

— C'est vraiment important, papa.

Puis les deux jeunes gens revinrent rue Lützmann.

— Pourquoi l'abbé Schäpertönnes n'a-t-il pas fait appel au curé de la paroisse ? demanda John. Il y a pourtant une grande salle pour les jeunes.

— Il n'aime pas, paraît-il, les gens de la rue Lützmann. Depuis que nous sommes ici, on ne l'a pas vu une seule fois.

Ils avaient encore suffisamment de temps devant eux pour trouver des élèves. Neuf enfants s'inscrivirent aussitôt avec reconnaissance. Par contre, Mme Mirkowicz était méfiante.

— C'est gratuit ? s'exclama-t-elle en secouant la tête. Je n'ai encore jamais entendu cela. Que peut-on avoir de gratuit ici ? Aujourd'hui, il n'y a que l'argent qui compte !

John lui assura que cela ne coûterait rien.

— Mais pourquoi faites-vous cela ? Il doit y avoir quelque chose.

— Voyez plutôt l'abbé Schäpertönnes, répondit Christina.

— Mais je trouve cela drôle, intervint M. Mirkowicz, il faut que je vous dise pourquoi. Supposons que vous soyez en Pologne — à Cracovie, par exemple — devant un distributeur de cigarettes. Vous n'avez pas de monnaie. Que faites-vous alors ? Vous arrêtez un passant et lui demandez : « Petit père, s'il te plaît, je n'ai pas de pièce de un zloty et je voudrais acheter des cigarettes. » Eh bien, que va faire cet inconnu ? Il sort son porte-monnaie, prend une pièce, vous la donne, en ajoutant peut-être cette recommandation : « Ne fume pas trop, petit père ! Ce n'est pas bon pour la santé ! » Maintenant, imaginons la même scène en Allemagne : le passant te donnera-t-il quelques pfennigs ? Pas du tout ! Il s'exclamera, indigné : « Ça ne va pas, non ? » Voilà toute la différence.

— C'est vrai, Paul ; te souviens-tu aussi de ton histoire avec notre cousin ?

— En effet, dit M. Mirkowicz. Ecoutez donc. Il y a trois ans, je suis allé dans un bar à Cracovie pour boire une bière avec mon cousin Karl. Nous en avons bu deux, trois, cinq. Finalement, nous nous sommes disputés, et savez-vous pourquoi ?

Il fit une pause en regardant les jeunes gens, puis il reprit :

— Naturellement, vous ne savez pas. A cause de l'addition ! Nous voulions la payer tous les deux.

— Mon mari est le plus costaud, dit Mme Mirkowicz en riant, c'est lui qui a payé l'addition.

— Peu après, Karl est parti à l'Ouest. Nous nous sommes revus, il y a un mois. Il était bien habillé et il a une bonne place ici. Nous sommes allés dans un bistrot et nous avons bu au comptoir, d'abord une bière, puis deux, puis cinq. Finalement il a fallu payer.

» — Est-ce que tu te rappelles Cracovie ? lui ai-je dit en lui mettant mon poing sous le nez.

» — C'est beaucoup plus simple ici, m'a-t-il répondu en appelant le garçon : L'addition, s'il vous plaît.

» — Vous payez ensemble ? nous a-t-il demandé.

» — Non, a répondu mon cousin, chacun pour soi.

» Et c'est justement ce qui me rend malade ici, on ne vit que pour soi. Vous comprenez maintenant pourquoi nous avons peine à croire que vos cours soient gratuits. Faire tout ça sans argent !

Lorsque Christina et John eurent visité toutes les familles de l'immeuble ayant des enfants à l'école, il restait encore beaucoup de temps avant le départ du train. Grand-mère, elle, recevait déjà une nouvelle visite.

— Voici M. Bronski, dit-elle.

— Nous nous connaissons depuis Pâques, répondit John.

— C'est vrai.

— M. Bronski m'expliquait justement qu'il va bientôt recevoir de l'argent en dédommagement, expliqua grand-mère.

— Oui, j'ai cédé ma ferme et ma maison à l'Etat, là-bas, dit M. Bronski.

— Vous l'avez cédée ? s'étonna John.

— Oui, personne ne peut quitter le pays s'il est propriétaire d'une terre ou d'une maison.

— Mais vous pouviez les vendre !

— Pour quelques zlotys, et ici le zloty ne vaut que cinq pfennigs (1). Non, merci ! Celui qui cède sa propriété là-bas reçoit ici un dédommagement.

— Ce n'est pas mal.

_____

(1) 5 pfennigs : 9 centimes.

N'OUBLIE PAS, CHRISTINA...

— Mais ce n'est pas simple. Tout doit être fait par-devant notaire, et les frais d'acte sont à ma charge. Mais c'est bien quand même. J'ai fait la demande et bientôt je vais recevoir une jolie somme.

— Pensez-vous vous installer à la campagne ?

— Non, car il aurait fallu que je me recycle comme fermier à Unna, et je travaille déjà dans une usine. Je gagne mille cinq cents marks net par mois (1). Si je reçois le dédommagement, nous louerons un bel appartement, nous achèterons des meubles, et nous serons heureux comme ça.

— Richard ! Richard ! appela une voix de femme dans le couloir.

— C'est ma femme qui m'appelle. Il faut que je parte. Merci pour le thé, madame Bienmann. Je vous souhaite bon courage et bonne chance, ajouta-t-il en partant.

— Le thé est froid maintenant, constata grand-mère Bienmann. (Elle se leva péniblement.) Je pense que cela ne vous gênera pas que j'aille me coucher. Ces temps-ci, je me sens fatiguée.

Lorsque John prit congé, un peu après, Christina l'accompagna jusqu'à la porte.

— Je me fais du souci pour grand-mère, lui confia-t-elle. Elle tousse souvent la nuit.

— Envoie-la chez le docteur, Christina. Avec les personnes âgées et les enfants, il vaut mieux être prudent.

*
**

La veille du concours, Christina eut deux surprises, de nature bien différente.

D'abord, elle fut convoquée avec Hans-Jörg pen-

_____

(1) 1 500 marks : 2 700 francs.

dant la deuxième récréation, dans la salle de musique — « avec instruments et partitions ».

Depuis la dispute avant Pâques, Hans-Jörg était redevenu aussi aimable qu'avant.

— Que peut bien nous vouloir M. Schmuda ? lui demanda Christina.

— Je n'en ai aucune idée.

Le docteur Schmuda était assis dans son fauteuil et les attendait.

— Cette fois, je ne fais pas partie du jury, commença M. Schmuda. Ce sont mes collègues des écoles voisines qui s'en chargent avec le directeur du conservatoire. Cela me permet de vous convoquer pour entendre un peu où vous en êtes. Commencez, Christina !

Christina déposa ses feuillets. Elle n'en avait plus besoin, tellement elle s'était exercée à jouer la bourrée. Elle commença à jouer.

— Halte ! s'écria soudain le docteur Schmuda. Vous avez sauté des notes !

Christina s'interrompit, surprise.

— Sauté ? dit-elle.

— Mais oui, intervint Hans-Jörg, tu as oublié une ligne avec une roulade rapide.

— Mais non ! protesta Christina.

Le docteur Schmuda se leva pour prendre les notes sur le pupitre et les examina.

— Voilà qui est singulier ! s'exclama-t-il.

Hans-Jörg s'approcha aussi pour examiner la feuille. Il l'exposa à la lumière.

— Il manque réellement une ligne, comme si le texte avait été coupé.

— Qui vous a donné ces notes ? interrogea M. Schmuda.

— C'est Hans-Jörg qui me les a fait photocopier.

187

— Ce sont bien là les feuilles que je t'ai données ? demanda Hans-Jörg, méfiant.

— Comment ! Tu penses peut-être que je les ai trafiquées ?

Furieuse, Christina lui faisait face.

— Ce n'est sans doute pas toi. Mais qui donc l'a fait ? demanda Hans-Jörg, mal assuré.

— Oui, qui peut avoir fait cela ? s'étonna M. Schmuda.

— Vous ne pensez tout de même pas que c'est moi, monsieur ? protesta Hans-Jörg.

— Je ne pense rien. Je demande seulement : qui ?

— Ce n'est pas moi, je serais incapable de faire quelque chose de ce genre.

— Peut-être est-ce une erreur de la photocopie ? suggéra Christina.

— Une erreur ? Tu ne connais pas ma mère ! Avec elle, il n'y a pas d'erreur possible.

Le docteur Schmuda fouilla l'armoire dans laquelle il rangeait ses livres de partitions. Il lui fallut un moment pour trouver l'album de Bach.

— Je savais bien que je l'avais ici, bougonna-t-il. Voici la *Sonate en la mineur*.

Christina reprit la sonate depuis le commencement. Lorsqu'elle aborda la roulade omise, elle était moins assurée.

— Il faut lier davantage votre jeu, conseilla M. Schmuda. C'est un peu trop dur.

Hans-Jörg joua le *Capriccio* de Stamitz avec aisance et presque par cœur.

— C'est bien, dit le docteur Schmuda, c'est très bien, vous deux. Mettez un peu plus de chaleur, je vous prie, Hans-Jörg. Heureusement que je ne fais pas partie du jury, car vos morceaux sont aussi difficiles l'un que l'autre et vous les jouez parfaitement. Heureusement que je n'appartiens pas au jury ! répéta-t-il.

Il leur tendit la main.

— Et surtout, cet après-midi, pas d'exercices. Faites plutôt une promenade, si je puis vous donner ce conseil.

— Vous voulez dire que nous devons nous promener ensemble ? dit Hans-Jörg en riant.

— Sur ce point-là, je ne suis pas catégorique, répliqua M. Schmuda. Mais, pour aujourd'hui, je vous conseille plutôt de sortir chacun de votre côté. Il vaut mieux ne pas vous énerver !

Le cours était déjà commencé, lorsqu'ils entrèrent en classe.

— Christina, demanda Hans-Jörg en s'arrêtant, tu ne crois pas que j'ai falsifié la sonate ?

— Non, Hans-Jörg. Je ne crois pas cela, venant de toi. Mais pour moi c'est une énigme.

Elle s'approcha de Brandy pour s'excuser à cause de son retard. Mais le professeur lui fit signe.

— Je suis déjà au courant. Vous étiez avec le docteur Schmuda. Ces artistes ne peuvent rien faire comme les autres !

*
* *

Après le cours, Brandy convoqua Christina qui, très inquiète, demanda :

— Est-ce que mon dernier devoir était mauvais ?

— Mais non, Christina, pas du tout ! Le voici d'ailleurs...

Christina respira, soulagée.

— Ce que j'ai à vous dire est tout à fait personnel, Christina. Qu'allez-vous mettre demain pour le concours musical ?

Christina **rougit.**

189

— Mon père m'a acheté un ensemble pantalon bleu ciel, lorsque nous sommes arrivés. Ma mère dit qu'il me va bien.

— Et qu'en dites-vous vous-même ?

— Je trouve qu'il n'est pas mal, mais je me demande si c'est bien la tenue qui convient pour cette cérémonie ?

— Justement, dit Brandy. J'habite avec ma sœur, elle a exactement votre stature, me semble-t-il. Je lui ai parlé de vous, hier, et elle a une belle robe dont elle ne se sert pas. Est-ce que cela vous convient ?

— Mais... Mais... Mademoiselle Brandstätter ! bégaya Christina.

— Savez-vous ce que nous allons faire ? Je vous emmène dans ma Coccinelle et vous essayez la robe. Nous verrons après.

Christina n'eut pas le temps d'élever une seule objection. En quelques minutes, la petite voiture les avait amenées dans le quartier le plus élégant de la ville, le Carolinger. Une pelouse séparait la maison de la rue, devant laquelle une haute haie faisait écran.

— C'est une oasis, dit Brandy. Ma sœur et moi avons fait construire la maison il y a six ans.

Elle ouvrit la porte d'entrée.

— Ottie, appela-t-elle, ma sœur est-elle déjà rentrée ?

— Elle ne viendra pas aujourd'hui, répondit une voix furieuse depuis la cuisine. Elle vient de téléphoner pour dire qu'elle ne viendrait pas.

— Je mangerai dans une demi-heure seulement, lança pour tout commentaire Brandy, et elle précéda Christina dans l'escalier.

— Je me demande vraiment pourquoi je fais la cuisine ici ! lança la cuisinière, indignée.

Une robe en belle étoffe de laine d'un ton vieux

190

rose, à manches longues, était disposée sur un fauteuil du bureau. Le col montait haut et fermait au moyen d'une étroite bande de fourrure qui en faisait le tour.

— Le mieux est de l'essayer, Christina.

— Vous pensez que je peux l'essayer ?

— Mais oui, Julia ne la met plus. Elle ne l'a d'ailleurs portée qu'une seule fois. « Elle me gratte », a-t-elle protesté. Après ça, fini !

Christina trouvait que la robe était magnifique.

— Il faut que j'aille voir Ottie, dit Brandy en quittant la pièce. Excusez-moi une minute.

Christina ôta vivement sa robe et enfila la nouvelle. Elle tira la fermeture à glissière. La robe lui allait vraiment bien. Brandy revint à ce moment.

— Tournez-vous.

Brandy la regarda attentivement. Elle se dirigea vers l'armoire, dont elle ouvrit les portes. Sur leur face intérieure, elles étaient revêtues d'un miroir.

— Voyez vous-même, Christina.

— C'est vraiment beau, très beau, dit gaiement la jeune fille.

— Vos cheveux noirs font un bon contraste. C'est vraiment très bien. Mais la longueur..., voyons. (Elle se courba, releva l'ourlet d'environ trois centimètres.) Il me semble que c'est mieux ainsi. Acceptez-vous que ma sœur vous donne la robe, Christina ?

— Je ne sais pas si je puis..., dit timidement Christina.

— Bon. Vous allez enlever la robe et vous mangerez ici, à la place de ma sœur ; comme ça, Ottie sera contente. Et, comme elle sera même très contente, elle va vous coudre l'ourlet pendant que nous mangerons.

Ottie était une dame de corpulence imposante.

N'OUBLIE PAS, CHRISTINA...

— Eh bien, mes enfants, heureusement que vous avez pitié de ma cuisine !

Les roulés au fromage étaient excellents. Les doigts agiles d'Ottie avaient achevé l'ourlet avant que les deux convives n'aient fini leur dessert : une glace au citron garnie de crème fouettée.

Christina remercia Brandy avec effusion. Celle-ci mit son manteau et lui dit :

— Venez, Christina, je vous ramène vite rue Lützmann, afin que l'on ne s'inquiète pas chez vous.

— Comment savez-vous que j'habite rue Lützmann ? s'étonna Christina.

— C'est bien simple. L'adresse est marquée sur votre fiche. Et je comprends vos problèmes, Christina. Moi aussi, j'ai des parents qui vivent en Pologne.

*
* *

La salle était presque pleine. M. Schicketanz avait placé quelques rangées de chaises devant l'estrade pour le chœur et pour les élèves qui devaient jouer d'un instrument. En tournant légèrement la tête, Christina apercevait ses parents au fond de la salle, à l'avant-dernier rang. Sa mère portait un élégant ensemble rouge et Janec avait marqué la solennité du jour en arborant une belle cravate. Grand-mère ne se sentait pas bien, elle avait à peine dormi la nuit dernière. Cependant, elle n'avait pas voulu écouter son fils qui lui avait conseillé de rester à la maison.

— Je me réjouis d'entendre jouer la petite, avait-elle déclaré. Cela me fera plus de bien que le meilleur des médicaments !

Le jury avait pris place au premier rang dans la salle. Juste derrière le jury s'était installée la famille de Hans-Jörg : messieurs bien vêtus, à l'air énergique, dames élégantes, abondamment pourvues de bijoux. Une fillette mince, surexcitée, parlait sans arrêt à Hans-Jörg. Finalement, le garçon se leva et vint se mettre à sa place, près de Christina.

— Regarde un peu comme ils te soutiennent, lui chuchota Christina.

— Laisse-moi !

— Tu es énervé ?

— Bêtise ! répondit-il sèchement en regardant droit devant lui.

Il se leva pour aller échanger quelques mots avec M. Schmuda. Christina put entendre le professeur lui dire d'un ton brusque :

— Bon ! faites-le, vous verrez bien après !

Christina eut de la peine à rester assise. On entendit d'abord les quatre violonistes, les trois pianistes puis les cuivres et, enfin, après Karl Matz qui jouait du hautbois, ce fut le tour des flûtes.

Deux élèves de troisième jouèrent l'andante pour flûte et piano extrait de la *Sonate en sol mineur* de Haendel. Ils maîtrisèrent d'abord les passages difficiles avec brio et, lorsqu'un peu après ils s'embrouillèrent dans un passage plus simple, ils s'arrêtèrent sans complexe pour le reprendre à nouveau. De longs applaudissements saluèrent leur franchise et leurs efforts.

Christina sentit ses genoux trembler lorsqu'elle attaqua la sonate de Bach. Mais cela ne dura que le temps des premières mesures. Les notes de sa flûte résonnèrent avec chaleur, légères et pleines d'élan, exactes et précises ; les trilles étaient sûrs, ces trilles qu'elle avait répétés cent fois et cent fois brillamment renouvelés. Lorsqu'elle eut fini, elle baissa sa flûte et regarda le docteur Schmuda. Celui-ci applaudit en lui faisant un petit signe. Elle s'était déjà rassise sur sa chaise que les applaudissements duraient

193

encore. Le jury échangeait ses avis à voix basse. Les applaudissements venaient juste de cesser lorsque Hans-Jörg se leva à son tour et s'approcha du pupitre. Il débuta par un furioso de notes rapides. Dès les premières notes, Christina sut qu'il s'était décidé pour un autre morceau, le plus difficile de la *Suite en si mineur* de Bach. Sans doute n'avait-il pas pu digérer que le docteur Schmuda déclare leurs morceaux de difficulté égale. Sa magnifique et coûteuse flûte d'argent exultait, les notes jaillissaient, claires et distinctes, les notes graves étaient tendres et pleines de chaleur.

« Aujourd'hui, c'est lui le meilleur », se dit Christina, mais elle n'en ressentait pas de dépit, aucun morne sentiment de défaite ne s'empara d'elle. Il n'y avait pas de place pour cela dans le jeu de Hans-Jörg. Mais, soudain, quelque chose se passa, quelque chose qui cloua les assistants sur place. Vers la fin de la partition, Hans-Jörg s'arrêta brusquement de jouer sur une fausse note stridente. Il abaissa sa flûte et salua le public en disant :

— Veuillez m'excuser, une circonstance regrettable m'empêche de poursuivre.

Il eut un sourire contraint et se rassit bien droit à sa place.

Quelques applaudissements hésitants se firent entendre.

— Pourquoi as-tu fait ça ? lui demanda Christina.

Il haussa les épaules et fronça orgueilleusement les sourcils.

— Tu l'as fait exprès, Hans-Jörg, mais pourquoi as-tu fait cela ?

— Ma mère ne m'a pas fait confiance, dit-il à mi-voix. C'est elle qui a trafiqué la *Sonate en la mineur* pour que tu te trompes en jouant.

— Mais non ! Tu n'y crois pas toi-même, Hans-Jörg.

— Si ! Elle me l'a avoué. Elle m'a dit que c'était pour aider la chance et que deux précautions valaient mieux qu'une.

— Mais qu'est-ce que cela peut bien te faire ?

— Tu oublies que ce n'est pas n'importe qui qui a fait ça, c'est *ma mère* ! (Il avait pris un air ironique, mais ses lèvres tremblaient.) Je veux qu'elle comprenne enfin que je ne tiens pas à gagner à n'importe quel prix.

La famille Florin était restée assise, consternée. Même le savant maquillage de Mme Florin ne parvenait plus à cacher son visage.

On entendit encore le chœur, puis le jury distribua les prix. Christina reçut une bourse pour suivre des cours de flûte pendant un an au conservatoire et un prix de cinquante marks.

Lorsque Hans-Jörg reçut le deuxième prix de vingt marks, sa mère trancha :

— Non, merci, nous n'en avons vraiment pas besoin.

Et elle prit le billet, qu'elle posa sur la chaise du premier rang. Elle remarqua alors que Christina était tout près d'elle. Avec un sourire, elle reprit le billet et le tint en l'air en disant :

— Peut-être que la concurrente à l'accent polonais que préfère l'école en aura l'emploi, elle ?... et elle voulut remettre le billet à Christina.

Mais la jeune fille recula, furieuse, et le billet tomba à terre.

— Excuse-moi, Christina ! dit Hans-Jörg, et il partit en courant.

— Viens, Erna, tu perds la raison !

M. Florin empoigna solidement le bras de sa femme et l'entraîna vers la sortie.

195

Le proviseur vint féliciter Christina. **M.** Pomel, Brandy, tous voulurent lui serrer la main. Le docteur Schmuda était encore un peu effaré.

— Mais qu'est-ce qu'il a donc ? demanda-t-il à Christina.

— Il vous le dira lui-même, monsieur. Mais c'est vraiment un garçon bien.

✦
✦✦

HANS-JORG. — Enfin, j'ai su aujourd'hui la vérité. J'ai jeté la partition litigieuse sur l'illustré qu'elle était en train de feuilleter. Sa question irritée : « Qu'est-ce que cela signifie ? » montre bien combien chez nous on est attentif au respect de la forme. J'ai posé mon doigt sur l'endroit qui avait été si parfaitement falsifié.

D'un seul coup, j'ai vu monter dans ses prunelles cette lumière pleine de tension que j'ai déjà remarquée chez elle dans des combats difficiles. Ce qui m'irrite le plus, de sa part, c'est le sang-froid avec lequel elle a essayé de justifier sa falsification. Mes reproches ne l'atteignirent pas beaucoup, du moins au début. Son sourire ne disparut que lorsque je lui expliquai d'un seul coup ce que j'avais envie de lui dire depuis longtemps, à savoir que son orgueil commençait à fatiguer tout le monde et que je m'étonnais que mon père ait pu supporter tant d'arrivisme depuis vingt ans.

D'un seul coup, elle perdit son élégance et sa correction. Je n'étais qu'un sale gamin, m'a-t-elle dit. Je n'avais jamais appris ce que signifiait le mot « reconnaissance ». Je n'étais qu'un raté. « Comme papa, sans doute », ai-je ajouté.

Ce que je me permettais dépassait vraiment les bornes. Et d'abord je devrais me souvenir de la façon dont elle me mit au monde : par une césarienne, avec une transfusion ! Et maintenant oser lui dire cela ! Moi, son propre fils ! Elle me regardait, de ses yeux agrandis, des larmes de colère glissant le long de son nez.

Je partis en maudissant l'art de la césarienne.

Je suis lié. Sans elle, je ne suis rien. Pour le moment du moins. Les liens qui me retiennent en ce moment : argent de poche, études, auto, voyage, le meilleur professeur de flûte de la ville, logement, habits, nourriture.

Puis-je m'arracher à tous ces liens ? Non. Je vais attendre et voir combien de temps ils dureront. Un jour, elle commencera à les défaire. Mais je tiendrai bon.

**
* **

John se réjouissait de la victoire de Christina autant que s'il avait été lui-même le vainqueur. Les parents de Christina purent enfin se frayer un chemin dans la foule et parvenir auprès de l'estrade. Grand-mère Bienmann avait les joues rouges et ses yeux brillaient d'enthousiasme. Janec saisit sa sœur, la souleva de terre et la fit tournoyer si bien qu'elle en eut le vertige.

— On va fêter ça maintenant ! lui chuchota son père à l'oreille. Vous venez tous avec moi. Ta mère va nous faire de la liqueur à l'œuf.

— Si cela vous tente, venez donc avec nous, proposa Rosa à John.

— Mes parents ne sont pas là aujourd'hui, car mon père reste toute la journée à l'hôpital. Cela ne vous dérange vraiment pas si je viens ?

— Bien sûr que non !

La voiture de M. Bienmann pouvait contenir tout le monde sans problème. Wolf, qui avait dormi sur le siège arrière pendant tout le concert, alla se caser sur la tablette devant la glace arrière.

— Ma mère fait de la liqueur d'œuf, dit Christina à John. Ça doit être extraordinaire.

— Et comment ! dit grand-mère. Plus elle est fraîche, meilleure elle est.

L'ascenseur les conduisit au cinquième étage de l'immeuble. Dans un plat posé sur le buffet de la cuisine, Rosa avait préparé vingt œufs, de petits récipients contenant des épices diverses et une bouteille d'eau-de-vie.

— Et je n'aurai pas besoin de battre les œufs, annonça Rosa en se nouant un tablier autour de la taille. Mme Nagel m'a prêté son mixeur.

— Je veux voir comment marche cette merveille, dit M. Bienmann. Autrefois, tu devais battre les œufs au fouet pendant une demi-heure.

— Regarde si tu veux, mais laisse-moi la place.

Christina et grand-mère se reculèrent un peu, les hommes se serrèrent dans l'encadrement de la porte.

— Voyons, dit Rosa, fermez le couvercle du mixeur. Juste une minute. Janec, regarde la pendule !

Le mixeur ronronna et les jaunes d'œufs prirent du volume.

— C'est fabuleux ! s'exclama grand-mère. Les femmes ont tout de même la vie plus facile aujourd'hui.

Janec comptait les secondes... Cinq, quatre, trois, deux, un. Terminé !

Rosa ouvrit le couvercle et saisit la bouteille d'alcool, mais elle n'eut même pas le temps de saisir le gobelet. Le jaune d'œuf, toujours animé par le mouvement du mixeur et libéré de la pression du couvercle, forma soudain une colonne crémeuse qui, en une fraction de seconde, s'éleva jusqu'au plafond où elle éclata pour se disperser dans toutes les directions. Les cheveux de Rosa ruisselaient de jaune d'œuf. Grand-mère et Christina restaient pétrifiées devant le désastre, les hommes avaient la figure pleine de crème jaune. Il en dégoulinait depuis le globe du plafond, du buffet sur la table, sur le carrelage, la cuisinière, la vaisselle. Tout était couvert de longues traînées de crème jaune et gluante.

Il y eut un silence consterné.

— Merde ! lâcha Janec à mi-voix.

Wolf, qui s'était prudemment caché sous la table dès qu'il avait entendu le mixeur, fut épargné par l'avalanche et il se mit à lécher la crème avec enthousiasme. Christina était au bord des larmes.

— Ma belle robe ! gémit-elle.

Et brusquement M. Bienmann fut pris d'un fou rire irrésistible qui finit par lui couper le souffle. Finalement, tous l'imitèrent en se léchant les doigts pour essayer de se débarrasser de la crème.

— Tu sais, Rosa, dit M. Bienmann, ta liqueur d'œuf, on l'aurait bien vite oubliée. Mais, par contre, de cette petite fête, on s'en souviendra !

Grand-mère avait été prise d'une quinte de toux. Quand elle retrouva son souffle, elle conseilla :

— Mettons les habits dans la baignoire et au travail !

Les femmes se changèrent et se mirent à l'œuvre, aidées de M. Bienmann et des deux jeunes gens. Il leur fallut presque deux heures pour tout nettoyer : visages, habits, plafond, murs et cuisinière.

— Tiens, Janec, voilà vingt marks ! lui dit son père. Va vite nous acheter une bouteille de liqueur d'œuf.

Un peu plus tard, Mme Nagel vint sonner à la porte de l'appartement.

— Alors, madame Bienmann, vous ne trouvez pas que mon mixeur est formidable ?

— Si, si, répondit M. Bienmann, il est vraiment

formidable. D'ailleurs, ma mère dit que les femmes ont tout de même la vie plus facile aujourd'hui !

Les rires reprirent de plus belle et Rosa en expliqua la cause à sa voisine. L'immeuble avait sept étages et vingt et un appartements. L'histoire de la liqueur de Mme Bienmann en fit bientôt le tour et, pour la première fois, tous les voisins rirent de bon cœur et trouvèrent l'occasion de parler ensemble.

*
* *

Le travail des lycéens avec les enfants de la rue Lützmann commença bien. Le sous-sol prêté par M. Robos était spacieux et chaud. La table de ping-pong qui y était habituellement dressée avait été repliée contre le mur. M. Robos avait sorti de la cave une dizaine de bancs datant du bon vieux temps, ainsi qu'un grand tableau noir monté sur un support.

Il y avait seize enfants, garçons et filles. Mme Robos descendait chaque jour au sous-sol, vers cinq heures, pour apporter quelques gâteries : une ou deux bouteilles de jus de fruits, des petits pains, une corbeille de fruits. Quant à M. Robos lui-même, ses fonctions de directeur d'école suffisaient à faire de lui un homme très occupé. Cependant il venait lui aussi de temps en temps, examinait les devoirs, donnait ici et là un conseil, notait parfois quelque chose dans un carnet. Il s'assit un soir à côté de Waclaw, qui travaillait depuis une heure et demie et n'avait pas encore fini, et lui dit :

— Tu peux t'arrêter, Waclaw, ton professeur s'est sûrement trompé. Je vais écrire un mot sur ton devoir.

Il sortit son stylo à bille rouge et écrivit posément : *L'enfant a travaillé assidûment une heure et demie, sans trouver la solution. Je lui ai dit de s'arrêter. Il doit y avoir une erreur. Robos, recteur.*

Il donna à John le conseil de ne pas se contenter de faire travailler les enfants.

— Un chant, un jeu, raconter une histoire, des mots drôles, cela fait parfois des merveilles.

— Des mots drôles ? s'étonna John.

— Mais oui. Que faites-vous, par exemple, quand vous en avez entendu une bien bonne ?

— Je la répète.

— Précisément ! Et ce n'est pas facile de traduire une plaisanterie ! Vos mots drôles en allemand seront répétés en allemand.

— Vous voulez que je fasse un cours de langue avec des bons mots ?

— Ce ne serait pas si mal, il suffirait de commencer.

— Est-ce qu'on voit déjà les progrès depuis que les gosses travaillent avec nous ? demanda John.

— Après seulement quinze jours ? Vous en demandez beaucoup trop ! Mais il y a au moins une chose de sûre : les enfants sont complimentés parce que leurs devoirs sont propres. C'est parfois le premier compliment qu'ils reçoivent. Ce n'est qu'un début, mais une goutte de miel attire beaucoup plus de mouches qu'un tonneau de vinaigre.

— A mon avis, intervint Christina, les professeurs devraient davantage se dévouer pour ces enfants-là.

— Les professeurs ? Mais, Christina, il ne faut pas croire qu'ils soient tous faits sur le même modèle ! Prenez, par exemple, le cas de Mme Hückelhoff, dans mon école. Elle s'exténue au travail, veille sur chaque enfant, parfois même jusque dans la rue Lützmann. Elle ne compte absolument pas les heures qu'elle peut faire en plus. Ce qui importe, c'est que les enfants qui grandissent dans cette rue Lützmann aient une chance de connaître autre chose que ça dans leur vie. A l'opposé, il y a les gens comme M. Schreyer. Il ne fait que son devoir. A midi moins cinq précis, il monte dans sa voiture pour rentrer chez lui. Ce n'est pas à lui qu'on pourra parler des enfants à problèmes ! Entre ces deux extrêmes, Christina, il y a la masse de ceux que vous appelez « les professeurs ».

— Vos professeurs doivent les connaître, les enfants qui habitent dans les derniers numéros de la rue Lützmann, lui dit John.

— Bien sûr. C'est un problème pour nous... Il faudrait que vous veniez une fois à notre conférence. Vous et votre groupe de lycéens.

— A une conférence de professeurs ? demanda John.

— Oui. Christina parlera des problèmes des rapatriés et vous, John, vous viendrez raconter quelle image vous vous faites des enseignants depuis que vous travaillez dans mon sous-sol.

— Vous croyez que je peux le faire ?

— Je le crois. J'en parlerai au conseil des professeurs.

— Jacques ! On t'appelle au téléphone, intervint Mme Robos.

Il s'élança dans l'escalier et ajouta en se tournant vers les deux jeunes gens :

— Gardez votre soirée libre pour le 18.

*
* *

Christina avait de la peine à se décider à aller à la réunion des professeurs, car sa grand-mère toussait de plus en plus fort. Elle ne parvenait plus qu'à grand-peine à faire son travail habituel. Dans la journée, elle devait fréquemment s'allonger sur son lit, épuisée.

Dimanche dernier, elle était allée avec Christina chez son fils et Rosa. C'est à peine si elle avait touché au gâteau. Elle était restée prostrée dans le fauteuil.

— Maman, il faut que tu ailles voir un médecin, avait dit M. Bienmann avec énergie.

— C'est venu tout seul, ça partira de même, avait-elle répondu.

Mais, quand on lui dit qu'elle avait peut-être quelque chose de sérieux, peut-être même dans les poumons, elle avait enfin cédé.

— Bon, puisque vous le voulez absolument, j'irai voir le docteur cette semaine.

Le vendredi, John arriva en retard à l'école et posa une lettre sur la chaire de Brandy.

— Qu'est-ce qui t'arrive ? s'étonna Christina.

— J'ai peut-être trouvé une maison pour vous, chuchota-t-il.

— Christina ! John ! lança Brandy.

Pendant la récréation, il lui raconta que son père l'avait averti qu'une maison serait prochainement libre, près de la gare, en périphérie de la ville, une vieille maison, pas trop vaste, qui comportait cinq pièces, une cuisine et le chauffage. Un beau jardin, assez grand pour que Wolf puisse y courir et aboyer à son aise.

— Ce sera sûrement trop cher pour nous..., soupira Christina.

— Je ne crois pas. J'ai entendu parler de trois cents à quatre cents marks par mois.

— Ça fait déjà beaucoup.

— Si c'est vraiment trop, vous pouvez obtenir une allocation de logement. Mon père vous aidera sûrement.

— Ce serait rudement beau !

Et, pendant le reste des cours, Christina rêva en dessinant des petites maisons sur son bloc de papier.

*
* *

Comme ils en avaient pris l'habitude chaque vendredi, John sortit du lycée avec elle et se dirigea vers la rue Lützmann, parce que le vendredi, à trois heures, c'était leur tour de s'occuper des devoirs des enfants. Ce jour-là, grand-mère invitait John à déjeuner. Mais, ce vendredi-là, ils eurent la surprise de trouver la porte de leur pièce fermée. Inquiète, Christina alla voir Mme Bronski, qui lui donna la clé.

— Grand-mère est encore chez le docteur, dit-elle à John. Elle ne tardera sûrement pas à revenir.

Ils trouvèrent le repas tout prêt sur la cuisinière, avec un mot de grand-mère. Christina mit le couvert pour trois.

Enfin, la grand-mère revint ! Des pas fatigués dans le couloir, la porte qui s'entrebâille lentement.

— Que se passe-t-il, grand-mère ?

Elle referma la porte derrière elle et s'appuya contre le battant.

— Il faut que j'aille à l'hôpital au début de la semaine prochaine.

— Que t'a dit le docteur ? Qu'est-ce que tu as ?

Christina parlait vite dans son inquiétude.

Grand-mère Bienmann s'assit à table, le regard fixé sur son assiette. Enfin, elle haussa les épaules.

— Ils ne savent pas exactement ce que c'est. Probablement des végétations juste derrière la glande thyroïde.

De sa main, elle se palpa la gorge.

— **Le médecin dit que ma fatigue vient de là.**

Mais il veut d'abord m'examiner plus complètement à l'hôpital.

« D'abord », pensa Christina.

Le repas s'écoula dans un profond silence.

— Mais il y a aussi une bonne nouvelle, dit enfin John, et c'est à vous que nous avons voulu l'apprendre en premier. Pas très loin de chez nous, il y a une petite maison libre. Une maison individuelle, ancienne, mais très belle.

— Une maison ?

Grand-mère en oublia ses soucis et posa des questions sur le loyer, le nombre de pièces, l'aménagement, le jardin.

— Il y a même un pommier, ajouta John. Il est juste derrière la clôture. Les pommes qu'il donne sont succulentes.

— Comment le sais-tu ?

— Pour les avoir goûtées, bien sûr ! Je passe à côté chaque matin en allant à la gare. Je vois l'arbre bourgeonner, verdir, se mettre en fleur. Je tâte les fruits et je sais le premier quand les pommes sont bonnes à déguster, quoique encore pas tout à fait mûres. On remarque parfaitement que le soleil d'automne cuit l'acide restant et le transforme en sucre.

— On croirait entendre un chimiste, dit Christina en riant.

— Je veux voir la maison avant d'aller à l'hôpital, décida grand-mère.

Et, sans leur laisser le temps de répliquer, elle ordonna :

— Puisque tu vas chez les Robos, téléphone donc à ton père, Christina. Fixez un rendez-vous.

On ne devait pas en rester à un coup de téléphone. M. Bienmann déclara qu'il voulait absolument voir la maison et qu'il comprenait très bien que sa mère veuille la voir aussi. Il allait arranger cela avec Rosa. Il faut battre le fer tant qu'il est chaud ! Il passerait sans faute vers quatre heures et demie rue Lützmann.

A son tour, John téléphona à son père. Celui-ci trouva le projet raisonnable et annonça qu'il viendrait lui aussi vers cinq heures et demie et qu'il les attendrait à la gare.

Il fallut quarante-cinq minutes pour aller en voiture de la rue Lützmann jusqu'à la gare de Sandberg. M. Latour n'était pas encore là et grand-mère s'impatienta.

— Ne pouvons-nous passer devant la maison sans lui ? demanda-t-elle.

— Sûrement, dit John. On voit le pommier d'ici.

La maison était une de ces constructions déjà anciennes, fréquentes dans les petites villes le long du Rhin : murs blanchis à la chaux, poutres vertes apparentes, vaste toit en pente.

— Elle a l'air accueillante, approuva Christina.

Sa mère parut moins enthousiasmée.

— Est-ce qu'une vieille boîte comme ça ne sera pas humide ?

— On le saura en visitant la maison, répondit John. Mon père s'y connaît. Il m'a dit qu'elle était plus grande intérieurement que l'extérieur ne le laissait croire.

A ce moment, une fourgonnette Volkswagen Combi s'arrêta près d'eux. Un homme mince, de haute taille, en descendit.

— Vous êtes la famille Bienmann ? Enchanté. Je suis le père de ce garçon, dit-il en désignant John.

Ils se saluèrent.

— Je comprends votre impatience. Venez !

Il sonna à la porte. Une fillette âgée d'environ sept ans vint ouvrir.

— Maman ! cria-t-elle, il y a du monde. Viens voir !

— Attends, j'arrive.

Mme Kiefer s'essuyait encore les mains à une serviette lorsqu'elle parut dans l'entrée.

— Ah ! c'est vous, monsieur Latour. Vous venez pour la maison ?

— Oui. La famille Bienmann est naturellement curieuse de la voir.

— Bien sûr. Entrez donc ! Je suis en train de faire la cuisine, car mon mari va rentrer bientôt. Vous pouvez visiter partout. Excusez le désordre, mais c'est inévitable quand on déménage.

Elle disparut dans le couloir menant à la cuisine.

— Théo ! appela-t-elle, descends et fais visiter la maison, s'il te plaît !

Un jeune garçon descendit rapidement les marches de l'escalier en bois.

— En bas, il n'y a que la cuisine, la salle de bains et la salle de séjour, dit-il en ouvrant la porte qui faisait face à l'entrée.

La salle de séjour prenait toute la largeur de la maison. Les meubles étaient déjà démontés, des caisses à moitié remplies encombraient le plancher. Une vaste baie éclairait tout un mur de la pièce et une porte vitrée ouvrait sur le jardin. Le regard portait loin vers la ville.

Mme Kiefer revint dans la pièce, où elle remplaça son fils.

— Comment la trouvez-vous ?

— C'est vraiment une très belle pièce, dit grand-mère.

— N'est-ce pas humide ? demanda Rosa.

— Elle a dû l'être autrefois, mais l'hôpital a fait rebâtir la maison, avant que nous y habitions.

— L'hôpital ? s'étonna Christina.

— Ah ? vous ne le saviez pas ? La maison appartient à l'hôpital.

— Je n'avais pas pensé à vous dire cela, dit John, embarrassé.

— Autrefois, cette maison abritait des agriculteurs qui exploitaient notre ferme, expliqua M. Latour. Mais, depuis, les champs ont été couverts d'habitations et la ferme a disparu. Mais cette maison a un caractère typiquement rhénan et c'était dommage de la faire démolir.

— Passons en haut, dit Mme Kiefer. Les chambres à coucher sont assez petites.

— Mais elles sont bien, compléta la fillette blonde.

Elle avait raison. Les poutres de bois étaient noircies par l'âge, ce qui faisait un beau contraste avec la couleur des murs.

— Quatre chambres. Juste une pour chacun de nous ! constata Christina.

Ils descendirent l'escalier.

— Eh bien, qu'en dites-vous ? demanda M. Latour.

— Je ne sais pas..., répondit Rosa. Ça me fait bien loin pour aller à mon travail.

— C'est vrai, dit Mme Kiefer. J'ai entendu dire que vous travaillez dans un bureau. Mais je pense que vous pourrez trouver sans doute du travail par ici, tôt ou tard. Par contre, en tant qu'ingénieur, votre mari sera obligé de continuer à travailler dans la grand-ville.

— Qu'en penses-tu, Christian ?

— Moi, le déplacement ne me dérange pas, Rosa. Ça ne me déplaît pas de partir en voiture.

— Si vous voulez mon avis, intervint grand-mère Bienmann avec énergie, eh bien, prenez cette maison. C'est une maison comme je les aime.

— Là, vous avez bien raison, confirma Mme Kiefer. Je n'aurais jamais voulu partir d'ici. Mais

208

épousez donc un officier de l'armée ! Tous les deux ans, il faut déménager, c'est ainsi. Les hommes sont notre perte, n'est-ce pas ? dit-elle plaisamment en se tournant vers Rosa.

— Prenez le temps de la réflexion, conseilla M. Latour. La famille Kiefer ne s'en va que jeudi prochain. Mais, toutefois, il faudra que vous me donniez votre réponse d'ici là.

M. Bienmann le remercia chaleureusement.

Pendant le voyage du retour, Rosa souleva une foule d'objections. (Ça fait quand même loin. Les cartes de transport sont chères. Les chambres sont vraiment petites. Il faudra s'occuper du jardin. C'est une vieille maison. Il faudra refaire toutes les peintures. Quand il pleuvra, le chien mettra la boue du jardin dans la maison. En hiver, quand il y aura du verglas, comment fera-t-on pour aller en ville ?)

Mais il se trouva toujours quelqu'un pour lui répondre. Finalement, Rosa capitula :

— Je vois bien que cette vieille boîte vous a ensorcelés ! Et, pour dire vrai, elle m'a conquise, moi aussi, ajouta-t-elle gaiement.

— Il n'y a pas que la maison, dit grand-mère. Je ne sais pas si vous l'avez remarqué, mais les gens dans la rue se disent bonjour. Ils sont beaucoup moins étrangers les uns aux autres que dans la grande ville.

*
* *

— Notre société capitaliste est pleine de contraintes. Celui qui ne peut s'y adapter est écrasé. C'est pourquoi il nous faut un changement radical de société, déclara Krause.

M. Pomel sourit et s'adressa à la classe :

— Que pensez-vous des thèses qui tiennent tant à cœur à votre camarade ?

— Il y a du vrai, dit Pétra. Mon frère est en deuxième année à l'université. Il s'y passe des choses, je peux vous le dire ! Si ça ne change pas rapidement, ça va exploser. C'est du moins l'avis de mon frère.

Krause revint à la charge :

— Le système doit changer, afin que les défavorisés de la société aient aussi leur chance. Pensez aux fils des ouvriers, aux marginaux.

— Nous avons maintenant des Etats socialistes dans le monde, objecta M. Pomel.

— Prenez plutôt l'exemple de Cuba ! lança Krause. Lorsque les Américains l'exploitaient encore, il y avait une foule de gens analphabètes, il y avait d'énormes fortunes chez quelques-uns, la misère et l'ignorance pour la grande masse de la population. Aujourd'hui, tous les enfants vont à l'école, chacun gagne le même salaire, chacun reçoit ce qui lui est nécessaire pour vivre. Il n'y a pas d'hôpitaux de première ou deuxième classe. Le téléphone est gratuit. Voilà des faits !

— Que personne ne songe à contester, répondit John. Mais tu ne peux pas appliquer le modèle cubain aux Etats industrialisés de l'Occident. Mon père et mon grand-père sont des syndicalistes. Ils se sont battus pour tout ce qu'il y a de juste et de bon dans notre société. Cela doit continuer pas à pas.

— Les salariés ne réalisent pas qu'ils sont de plus en plus surveillés et dépendants, répliqua Krause.

— Je trouve boiteuse la comparaison avec Cuba, intervint Pétra. L'Allemagne orientale ou la Pologne sont tout de même plus près de nous.

— Eh bien, demandons un peu à Christina ! dit Krause en se levant. Y a-t-il encore des analphabètes là-bas, comme il y en avait avant la guerre ? interrogea-t-il.

— Non, répondit Christina.

— Y voit-on une grande différence entre les pauvres et les riches ?

— Non.

— Chacun ne doit-il pas travailler ?

— Si.

— La conclusion est simple, déclara Krause. L'homme n'y exploite plus l'homme.

— Mais cependant vous avez voulu venir ici ? demanda M. Pomel à Christina.

— Ce sont mes parents qui l'ont voulu, répondit Christina. Mais, depuis, je partage leur avis. J'ai dû quitter mon amie Basia qui est restée en Pologne avec tout ce que je connaissais jusqu'alors. Mais j'ai gagné la liberté.

— La liberté ! fit Krause, mais que sais-tu de la liberté ?

— Eh bien, la liberté pour moi, c'est que je puis douter, c'est que je puis chercher moi-même des solutions, c'est qu'en politique je ne suis pas contrainte de croire et de suivre, de faire et d'obéir. Je suis convaincue que les systèmes n'améliorent pas les hommes. Les systèmes sont dépassés. C'est de l'intérieur que les hommes doivent changer et, en changeant, ils changeront aussi le monde.

— Donc, ils ne le changeront jamais ! railla Krause.

— On ne changera rien tant que tu te contenteras de parler. Commence donc à agir pour plus de justice. Nous avons encore besoin de quelqu'un pour les enfants de la rue Lützmann.

— Pour votre jardin d'enfants ? se moqua Krause. Cela revient à tourner autour du pot et cela ne fait que renforcer le système.

— Au moins cela aide le petit Waclaw Bronski

à se maintenir au niveau de sa classe. Si on se contentait de bonnes paroles, il serait perdu.

— Ou bien cela éveillerait son esprit et il prendrait conscience de sa situation pour lutter.

Il y avait longtemps que la majorité de la classe ne s'intéressait plus au débat. Dorte se laquait les ongles. Dietmar faisait sa version latin, caché derrière le dos de John. Cornélia lisait un livre de poche.

— Enfin ! soupira une fille lorsque la sonnerie annonça la fin du cours.

A la sortie du lycée, Christina se dirigea droit vers l'hôpital. Grand-mère Bienmann avait été opérée le matin même.

— Comment va-t-elle ? demanda-t-elle à la surveillante.

— Elle vient juste de sortir de la salle d'opérations, ça a duré deux heures et demie. On ne peut pas encore dire grand-chose. En tout cas, la tumeur a été enlevée.

— Est-ce que je peux la voir ?

— Elle est encore sous l'effet de l'anesthésie. Mais vous pouvez vous asseoir à côté d'elle.

Sans bruit, Christina ouvrit la porte de la pièce où reposait la grand-mère. Les deux autres femmes qui partageaient sa chambre dormaient pour le moment. Le lit de grand-mère était près de la fenêtre. Christina reçut un choc en voyant le visage livide de sa grand-mère, les cheveux gris épars et mouillés de transpiration, le bras relié par un tube de plastique à un flacon fixé à un montant du lit, d'où une goutte de liquide coloré tombait toutes les cinq secondes pour entrer dans la veine du bras.

La grand-mère respirait lourdement sans faire le moindre mouvement. Christina resta longtemps assise à fixer le visage de la vieille dame. Les femmes qui partageaient sa chambre s'étaient réveillées, une odeur du café venait du couloir.

— Mangez un peu de gâteau, ma petite, dit l'une des deux femmes.

— Merci. Je n'ai vraiment pas faim..., murmura Christina.

*
* *

CHRISTINA. — Des heures au pied de son lit de malade. Je compte les gouttes qui entrent dans ses veines. Gouttes d'espoir. Gouttes de souvenirs. Et ces images qui me reviennent à l'esprit.

Ta main sur mon visage empourpré de fièvre. J'avais la scarlatine. C'était peu après que ma mère eut reçu son appartement. Je remarquai le soulagement de maman, car la scarlatine était un excellent prétexte pour me laisser auprès de toi, grand-mère. Je sens encore ta main sur mon front brûlant et sec.

Gouttes de miséricorde. Gouttes de souvenirs.

Ta main maigre qui ramassait avec soin les miettes de pain sur la table. Ce pain qui est un don de Dieu. Ta main qui partage en deux la miche de pain pour en donner à la gitane, avant même que celle-ci n'ait ouvert la bouche pour te le demander.

Gouttes de justice. Gouttes de souvenirs.

Ta main dure. Tu m'as traînée devant le propriétaire du petit magasin où j'avais dérobé un morceau de ruban, du ruban bleu pour ma poupée. Ta main tendre qui, au même moment, a mis dans les miennes un beau ruban bleu tout neuf.

Comme tes veines sont gonflées, sur le dos de ta main, de grosses veines noueuses. Je compte les gouttes.

Gouttes de vie. Gouttes de souvenirs.

Tes histoires, grand-mère, les histoires que tu m'as racontées. Tes yeux devenaient ronds, ils voyaient ce que tu me disais. La guerre. La mort. Dieu. Toutes ces choses que j'ai connues à travers tes histoires. Je compte les gouttes.

Gouttes de consolation. Gouttes de souvenirs.

Je revins un jour avec des bonbons, j'étais encore petite. C'était un jeune monsieur qui me les avait donnés. Tu ne m'as pas crue. Je n'ai pas pu supporter ton soupçon ! Je t'ai raconté que j'avais trouvé des zlotys sous un banc. Tu as été satisfaite de cette explication jusqu'à ce que Mme Aleksandrowicz vienne te dire que, alors que j'avais à peine cinq ans, des messieurs me donnaient déjà de l'argent. Tu m'as demandé pardon, tu étais bouleversée et c'est moi qui ai dû te consoler. Je compte les gouttes.

Gouttes de souffrances. Gouttes de souvenirs.

Mes premiers et mes derniers mensonges, grand-mère. J'ai appris de toi à dire la vérité, à répondre la vérité. J'ai bien ri le fameux mercredi où nous sommes allés voir le directeur de la milice, quand tu lui as dit que ton pied à coulisse était de fabrication polonaise.

Gouttes de confiance. Gouttes de souvenirs.

Notre carte de l'Europe était marquée d'un sillon gras. Le sillon de mon doigt, de celui de Janec, laissés sur le papier. Ta main avait guidé nos doigts. Mille fois. Depuis les landes, non loin de la Vistule, jusque dans l'encombrement des villes, sur le bord du Rhin. Pendant trente ans, tu as attendu, espéré, combattu, écrit, tremblé. Pour en profiter si peu de temps. Tu n'as pas voulu vivre là où des hommes enchaînent d'autres hommes.

Les gouttes circulent dans tes veines, jusqu'à ton cœur.

Gouttes de souvenirs. Gouttes d'espoir. Gouttes de mort ?

*
* *

N'OUBLIE PAS, CHRISTINA...

Il était déjà cinq heures quand grand-mère commença à ciller des paupières et à regarder autour d'elle d'un air épuisé. Son regard se fixa d'abord sur le goutte-à-goutte, puis sur Christina.

— Comment te sens-tu ? chuchota Christina.

Un petit sourire erra sur les lèvres de grand-mère Bienmann. Elle chuchota quelque chose, mais si bas, si bas que Christina dut se pencher vers elle.

— Il faut que vous preniez cette maison. Tu m'entends ?

— Oui, grand-mère. Le contrat est prêt. Nous emménagerons la semaine prochaine.

— C'est bien, c'est bien, haleta grand-mère en fermant de nouveau les yeux. Et surtout, ma petite, tiens bon avec John, reste bien avec lui.

Peu après, un médecin passa dans la pièce. Il apaisa l'une des femmes, qui voulait absolument rentrer chez elle. Il échangea quelques mots avec Christina.

— Votre grand-mère a passé le plus dur, dit-il en lui prenant le pouls. Dans deux ou trois jours, elle rira de nouveau.

M. Bienmann et Rosa vinrent le soir en apportant des fleurs. Mais la grand-mère ne vit pas les fleurs et elle ne devait plus jamais rire. Elle mourut le lendemain matin de bonne heure.

Christina, Janec et leurs parents arrivèrent comme l'aumônier sortait de la salle de bains où l'on avait conduit la moribonde.

— Elle est morte paisiblement, leur dit-il.

M. Bienmann resta pétrifié auprès de sa mère, les mains cramponnées aux montants du chariot où elle reposait. Il proféra quelques mots d'une voix rauque, étranglée. Et il parlait en polonais. Puis, au bout d'un moment, il parvint à se maîtriser.

— N'a-t-elle rien dit ? demanda Rosa.

— Elle n'a dit que quelques mots. « Tout est bien, mes yeux ont vu le pays. J'ai obtenu ce que je voulais. »

Grand-mère Bienmann fut enterrée trois jours plus tard. M. Bienmann insista pour que sa tombe soit à Sandberg, « puisque c'est là que nous habiterons désormais », avait-il dit.

Ce fut un enterrement très simple. Outre la famille Bienmann, seuls Jeanne, Véronique, Stani et John étaient venus. Janec se tenait près de sa sœur quand ils suivirent le cercueil depuis l'entrée jusqu'à la tombe.

— C'est la dernière fois que tu marches derrière elle, lui dit-il doucement. Maintenant, tu devras faire ton chemin toute seule.

— Elle m'a appris comment faire.

La pluie tombait dans la tombe ouverte. Les six porteurs, des hommes âgés, firent glisser le cercueil dans la fosse avec des cordes. Ils ôtèrent leurs gants et saluèrent le corps en soulevant leurs chapeaux. Ils étaient payés dix marks chacun pour faire ce travail. L'aumônier récitait les prières à haute voix, sans prêter attention à la pluie qui tombait sans relâche.

Wolf avait suivi Christina jusqu'au bord de la tombe. La pluie ruisselait sur son pelage. Il ne bougea même pas lorsque la terre commença à tomber lourdement sur le cercueil.

Il ne fallut pas très longtemps pour que la fosse soit comblée par les trois pelletées de terre que chacun devait y jeter.

*
* *

N'OUBLIE PAS, CHRISTINA...

— Que diriez-vous d'une tasse de café au restaurant ? proposa M. Bienmann aux Donatka.

— Non, merci, dit Jeanne. Notre train part dans vingt minutes et votre camion de meubles est peut-être déjà là.

Christina les accompagna à la gare. Ils arrivèrent juste à temps pour prendre leur train. Stani serra la main de Christina.

— Je reviendrai bientôt te voir. Avec ma voiture.

— Oui, Stani, et emmène Jeanne avec toi.

Lorsqu'ils revinrent à la maison, le camion était déjà là et deux hommes s'activaient à décharger leurs quelques meubles.

John avait coupé une branche du pommier. Les fleurs fragiles étaient épanouies. Il tendit le rameau à Christina en lui disant en polonais : *Duzo Slczescia w nowim donu !* Que le bonheur t'accompagne dans ta nouvelle maison !

POSTFACE

POUR la mise au point de ce livre, j'ai eu recours à de nombreux appuis, informations et entretiens qui me furent bénévolement accordés. C'est pourquoi je tiens à remercier tout particulièrement :

— M. Christian Waluczek, qui, au cours de conversations souvent tardives, m'a fait connaître des épisodes intéressants de la vie quotidienne en Pologne. C'est un conteur passionnant qui fait vivre ce qu'il dit.

— Les nombreuses personnes, hommes et femmes, qui ont connu le sort des rapatriés et m'ont donné des informations sur leur vie.

— M. le Conseiller Franz Grave et la direction du Foyer des Jeunes « Haus Altfried », qui m'ont permis de partager la vie de familles de rapatriés.

— M. le Docteur Borgmann, qui m'a généreusement remis une importante documentation sur la Pologne et de nombreux documents sur l'histoire germano-polonaise.

— M. le Pasteur Erdmann, qui, à Friedland, m'a fait connaître certains aspects des multiples problèmes des rapatriés dans le foyer de transit d'Unna-Massen.

N'OUBLIE PAS, CHRISTINA...

— Et, finalement, mon épouse et mes enfants, qui ont suivi avec patience, esprit critique et intérêt la longue gestation de ce livre.

Sans l'appui de ces différentes personnes, ce livre n'aurait pu voir le jour, ou tout au moins pas sous sa forme présente.

WILLI FAHRMANN.

Ce livre
N'OUBLIE PAS, CHRISTINA...
de Willi Fährmann
est le
trente et unième
de la
COLLECTION
GRAND ANGLE

★

Il a été imprimé
par l'Imprimerie S.E.G.
à Châtillon-sous-Bagneux

Dépôt légal n° 3017 - 2ᵉ trimestre 1977 - Avril 1977
Numéro d'imprimeur : 349